'한국근대문학과 중국' 자료총서 ❼

시 Ⅲ

장영미·박설매 엮음

역락

『'한국근대문학과 중국' 자료총서』 편찬위원회

위원장: 김병민

위　원: 이광일 최창륵 최　일 장영미 박설매 김　강

편찬자 소개

김병민 연변대학교 조선언어문학학과 교수. 문학박사.

이광일 연변대학교 조선언어문학학과 교수. 문학박사.

최창륵 남경대학교 한국어문학과 교수. 문학박사.

최　일 연변대학교 조선언어문학학과 교수. 문학박사.

장영미 연변대학교 조선어학과 교수. 문학박사.

박설매 연변대학교 조선언어문학학과 부교수. 문학박사.

김　강 연변대학교 조선언어문학학과 전임강사. 문학박사.

배　홍 연변대학교 조선언어문학학과 전임강사. 문학박사.

김은자 하얼빈이공대학교 조선어학과 전임강사. 문학박사.

조영추 연세대학교 국어국문학과 박사.

박미혜 성균관대학교 국어국문학과 박사과정 수료.

'한국근대문학과 중국' 자료총서 07

시 III

장영미 · 박설매 엮음

역락

한국근대문학과 중국체험서사

— 서문을 대신하여 —

김병민

1. 중국체험의 의미

한·중 문화 교류는 수천 년의 유구한 역사를 가지고 있다. 특히 한국은 한자, 유·불·도, 각종 문물제도를 중국으로부터 수용함으로써 한(漢)문화권에 편입된 뒤 한(漢)문화를 중심으로 한 동아시아문화권의 형성과 발전에 중요한 역할을 하게 되었다. 따라서 한국문학의 발전 역시 중국문학 및 문화와 불가분의 관계에 놓이게 되었다.

한국문학의 발전에 있어서 역대 한국인들의 중국체험은 한국 한(漢)문학 전통의 확립에 결정적인 역할을 했다. 한국문인들의 중국체험은 다양한 양상을 보이고 있는바 최치원 등을 비롯한 문인들의 유학(留學)체험, 혜초, 의상 등을 비롯한 불교 문인들의 구도(求道)체험, 정도전, 허균, 김만중, 홍대용, 박지원 등을 비롯한 문인들의 사행(使行)체험 등을 들 수가 있다. 이들은 중국을 체험하는 과정에 중국의 문인들과 다양한 교류를 진행하게 되었고 한중 문학의 쌍방향적 영향관계를 밀접히 했다. 실제로 한국문학에서 굴지의 작가로 불리는 최치원, 이제현, 허균, 김만중, 박지원 등의 문학은 중국 문학 및 문화와 깊은 연관성을 보여주고 있다. 한국문인들은 중국체험을 통해 자신들의 창작을 전개해갔고 또한 창작을 통해 그들의 문화의식 즉 세계인식과 시대인식을 구축해 가기도 했다. 최치원의 한시가 『전당시』에, 이제현의 사가 『강촌총서』에 수록되었으며 김만중의 경우 중국체험과 중국문화 수용을 통해 세계적 영향을 지닌 『구운몽』을, 박지원의 경우는 사행체험을 통해 세계 기행문학의 백미로 불리는 『열하일기』를 창작했다. 최치원, 이제현, 김만중, 박지원의 문학이 세계적인 명작이 되기에 손색이 없다고 할 때, 한국문학 발전에 있어서 중국체험은 큰 의미를 가진다고 할 수 있다.

중국체험은 한국 문인들에게 시간과 공간에 대한 새로운 인식을 심어주었고 자아와 타자에 대한 새로운 인식을 불러일으키기도 했다. 예를 들어 18세기 후반기 '북학파'의 맹주들인 박지원, 박제가 등이 중국체험을 통해 전통적인 문화의식에서 탈피하여 자본시장의 형성과 과학문명에 대한 인식을 얻고 중세의 몰락과 근대의 여명을 확인한 것은 시대를 앞서나간 문화적 초월이라고 할 수 있다. 그것은 말 그대로 국가 간의 경계, 문화 간의 경계, 민족 간의 경계를 넘어설 수 있었던 탈경계 체험의 산물이라고 하겠다.

20세기를 전후하여 한국은 근대 식민지체계에 편입되기 시작하여 1910년 '한일합방'으로 일제의 식민지로 전락되고 말았다. 망국을 전후한 시기부터 중국은 한국독립투사들의 항일투쟁의 정치적 공간과 근대적 이민의 생활공간이 되기도 했다. 따라서 한국근대문학은 중국의 문학 및 문화와 더욱 밀접한 연관을 맺게 되었고 보다 더 새롭고 다양한 발전 양상을 보여주게 된다.

따라서 한국근대문학과 중국과의 관련양상에 대한 연구는 비단 한·중 근대문학교류사 연구뿐만 아니라 한국문학사 연구에 있어서도 지극히 중요한 가치가 있다고 할 수 있다. 현재까지 이에 대한 한국 학계의 연구는 대체적으로 한국근대문학의 공간적 이동이라는 시각에서 접근하여 중국에서 벌어

졌던 한국문인들의 문학을 '이민문학' 혹은 재외 한국근대문학의 범주에 두고 고찰하였다. 반대로 중국 학계에서는 중국에 이주한 한국문인들의 문학을 '조선족문학' 혹은 그 전사(前史)로 범주화하고 연구를 해왔다. 이러한 연구는 한민족문학의 연구에서 극히 중요한 작업임이 분명하며 또한 현재까지 괄목할 만한 성과를 거두었다. 하지만 한국문학의 공간적 이동으로만 접근하게 되면 인적 교류, 이론과 사상의 유동 내지는 상상력의 탈경계 등 한·중 근대문학 교류의 보다 다양한 차원의 문제들을 간과하게 된다. 한 마디로 한·중 근대문학 교류는 문학의 공간적 이동의 시각보다는 탈경계 연구(Border—crossing studies)의 시각에서 접근하는 것이 더 효율적이라고 할 수 있다. 이른바 탈경계 연구는 민족, 국가, 언어, 문화, 이데올로기 및 윤리 등의 탈경계 그리고 그 과정에서 문화적 재건, 융합 및 가치창조를 밝히는 새로운 연구 시각이다.

근대 전환기 및 근대과정에서 이루어진 한국문학의 중국과의 교류는 고금의 인류문학사에서 보기 드문 문학적 현상이었으며 일종의 '증후성(Symptomatic)'을 가진 문학적 사건이라고 할 수 있는바 다음과 같은 특징을 띠고 있다. 우선, 교류의 지속시간이 길고 방대한 양의 텍스트를 형성하였다. 다음으로 그 교류는 일방적인 영향관계가 아닌 쌍방향적인 상호작용의 관계였다. 끝으로 그 교류는 '중심'과 '주변'의 관계가 아닌 '주변'과 '주변'의 관계였다. 그중 탈경계 서사(beyond boundaries narrative)로 특징지어지는 한국근대문학의 중국체험서사는 한국문인들의 중국을 매개로 한 전통, 근대 그리고 미래와의 대화였다. 바로 이러한 의미에서 한국근대문학과 중국과의 문학·문화적 대화는 지극히 생산적인 것이었으며 근대 동아시아의 정신적 가치를 보여주는 소중한 유산이라고 할 것이다.

한국문학의 근대화 과정에서 일본을 통한 서양문학사조, 유파, 관념, 형식 등의 수용이 큰 역할을 하였음은 분명하나 식민지 출신의 한국문인들에게 있어 식민 종주국 일본이 생산적 가치를 가진 이상적인 공간이 될 수는 없었다. 오히려 비슷한 운명에 처한 중국이 생산적인 정치·문화공간이자 생존·생활공간이 될 수 있었다. 중국에 대하여 느낄 수 있었던 시대적 동질감과 유대감은 일본이 갖추지 못한 요소들이었다. 따라서 한국인들은 중국을 독립투쟁의 전장, 근대문명의 '박물관', 평등한 대화와 교류의 장소로 인식하였던 것이다. 한국근대문학과 중국과의 교류는 한국문학의 근대화 과정을 이해하는 데 있어 중요한 가치가 있을 뿐만 아니라 나아가 오늘날 한국과 주변의 관계를 이해하는 데 있어서 상당한 현실적 가치가 있다고 해야 할 것이다. 이에 『'한국근대문학과 중국' 자료총서』는 한국문인들이 중국과의 교류과정에서 생산한 중국서사와 한국문인들에 의한 중국문학 번역과 소개 등 텍스트를 그 대표성과 중요도에 따라 선별적으로 수록하였다.

2. 저항과 항일체험서사

항일서사는 한국의 독립투사들이 중국에서의 반일활동에 근거한 탈경계 서사로서 의열단(義烈團), 한국애국단(韓國愛國團), 독립군(獨立軍), 유격대(遊擊隊), 조선의용대/의용군(朝鮮義勇隊/義勇軍), 한국청년전지공작대(韓國青年戰地工作隊), 한국광복군(韓國光复軍), 중국국민군(中國國民軍), 팔로군(八路軍), 항일연군(抗日聯軍) 등 항일부대의 활동과 밀접히 연관되어 있으며 소설, 시, 수필 등 장르를 포함하고 있다.

소설로는 중국에서 전개된 한국의 반일독립운동을 소재로 한 신채호, 최서해, 강경애, 심훈, 장지락 등의 작품이 있다. 우선 아나키즘계열의 항일투쟁을 반영한 소설로는 신채호의 「용과 용의 대격전」, 장지락의 「기묘한 무기」 등이 대표적이다. 신채호의 소설 「용과 용의 대격전」은 환상적인 구조 속에서 일제 침략자를 상징하는 미리와 한국 민중을 상징하는 드래곤 사이의 격전을 그리면서 민중의 승리를 확인하고 있다. 「꿈하늘」(1916)에서 신채호가 국민국가 상상을 보여주었다면 「용과 용의 대격전」에서는 무산민중 주체의 민족국가 상상을 보여주었다고 할 수 있다. 장지락의 소설 「기묘한 무기」는 1922년 김익상 등 한국의 반일지사들이 상하이 황포공원에서 일제 육군대장 다나카를 저격한 사건을 다룬 단편소설로 1930년 북경에서 창작된 작품이다. 이 소설에는 사회주의, 아나키즘, 인도주의 등 다양한 사상들이 혼재되어 있다. '만주'지역에서 전개되고 있던 독립투쟁을 소재로 한 소설로 최서해의 「해돋이」와 강경애의 「모자」, 「축구전」 등이 있다. 「해돋이」는 생활에 시달리다 독립운동에 투신한 주인공 만수의 형상을 통하여 '만주' 지역 한국 이주민들의 일제와 그 주구들에 대한 분노와 항거를 보여주고 있다. 강경애의 「모자」는 간도지역에서 벌어진 항일유격투쟁을 배경으로 하면서 희생된 남편의 못 이룬 뜻을 어린 아들로 하여금 이어가게 하겠다는 한 어머니의 불굴의 의지를 보여주고 있고 「축구전」은 일제의 주구들이 조직한 축구경기에 참가하여 경기는 졌지만 민중들에게 반일정신이 살아있음을 보여준 진보적인 한국 이주민 중학생들을 그리고 있다.

반일투쟁 승리의 강력한 의지를 표출한 시작품으로는 신채호의 「매암의 노래」, 이육사의 「청포도」, 김창숙의 「넋이여 돌아오라」, 이두산의 「당신은 의용의 전사래요」, 문정진의 「4명의 열사를 추모하여」 등을 들 수 있다. 이두산의 시 「당신은 의용의 전사래요」는 중국에서 활약하고 있는 항일부대 '조선의용대'의 영용한 모습과 필승의 신념을 노래하면서 항전의 승리와 조국 귀환의 절절한 정감을 읊고 있다. 김창숙의 시 「넋이여 돌아오라」는 중국

하르빈에서 독립운동을 지도하다 일경에 체포되어 옥사한 독립투사 김동삼을 기린 시로 일제에 대한 불타는 적개심과 구국의 염원을 노래했다. “신계(神溪)는 목 메이고/ 한수(漢水)는 슬픈데/ 한 치의 묻을 땅이 없어/ 다비(荼毘)에 부치더니/ 아, 나라 찾을 그날/ 다가오리니/ 넋이여 돌아오라/ 주저치 말고”라고 하면서 전편에 걸쳐 혁명동지에 대한 뜨거운 애도 그리고 원수격멸의 의지를 그려내고 있다.

이밖에 항일투쟁의 제일선에서 싸운 군인들의 실기, 수필 등은 실제적인 체험을 기록했다는 의미에서 상당한 가치를 가진다. 예를 들면 ‘조선의용대’ 대원들이 창작한 「전선에서의 조선의용대」, 「중국 전장에서의 조선의용대」, 「화평촌통신」 등은 항일전장에서 조선인 대원들의 대적 무장선전, 중국 항일부대와의 협동작전, 민중교육 등 상황을 그려내고 있는바 한국 근대 독립투쟁의 역사와 한중관계를 조명함에 있어서도 중요한 가치를 가진다고 할 수 있다. 중국에서 전개된 한국인들의 독립투쟁을 반영한 작품 『청산리 혈전실기』, 「조선혁명일사」 등과 신채호의 수필 「단아잡감록」, 「조선의 지사」, 이두산의 연작수필 「억(憶)」(「산중 40일」, 「중국 항전에 참가하다」 등 11편) 등 작품들은 중국에서 한국 독립지사들의 투쟁과 생활 그리고 그들의 정신적 궤적을 반영하고 있다는 의미에서 높은 문학적 가치를 가진다고 할 수 있다.

3. 정착과 이민서사

한국근대문학의 탈경계 서사에서 가장 많은 비중을 점하는 작품은 한국이주민들이 중국에서의 생존체험을 소재로 한 이민서사로 그 주제적 경향에 있어서도 다양성을 보이고 있다.

우선, 한국 이주민과 중국인들과의 갈등은 이민서사에서 가장 많이 보이는 소재이다. 토지의 주인인 중국인들은 '지주'의 신분으로 등장하여 민족·계급이라는 이중적인 갈등구조를 이룬다. 최서해의 소설 「홍염」, 강경애의 소설 『소금』 등이 대표적이다. 「홍염」의 중국인 지주 '은 서방', 『소금』의 중국인 '팡둥'은 토지의 주인이라는 절대적 우위를 이용하여 한국 이주민들을 억압하고 있고 극한적인 생존환경에 처한 한국인 이주민들의 자연발생적인 항거가 계급적 인식으로 나아가게 된다. 이런 의미에서 중국으로의 이주는 한국작가들로 하여금 계급적 대립에 의한 억압의 보편성을 확인할 수 있게 하였고 나아가 현실 인식에 대한 깊이와 정확도를 획득할 수 있게 하였다.

다음으로, 중국에서 새로운 삶의 터전을 건설하려는 정착의식을 그린 작품들이 많이 있다. 안수길의 「벼」, 「북향보」 등과 현경준의 「선구시대」, 이기영의 『대지의 아들』, 『처녀지』 등 소설이 대표적이다. 안수길의 「북향보(北鄕譜)」는 주인공 정학도를 비롯한 이주민들이 어려운 여건 속에서 '북향농장'을 운영하는 과정을 통해 '만주'에 뿌리를 내려야 한다는 정착의식 혹은 지역의식(locality)을 상징적으로 보여주고 있다.

하지만 '만주'의 실질적인 지배자가 일제였기 때문에 '만주'를 향한 정착의식은 '상상적인 탈식민'으로 흐르게 되고 자칫하면 '만주'에서의 일제의 식민주의 담론에 포섭되게 된다. 마약중독자들을 '만주국' 건설에 필요한 인재로 '갱생'시키는 과정을 그린 현경준의 「유맹」, '내부 식민주의'적인 시각에서 원시적인 초원에 사는 몽고인들을 '개량' 하는 주인공의 노력을 그린 한찬숙의 「초원」 등이 대표적이다. 이러한 정착의식은 일제에 대한 철저한 순응으로 타락하는 경우도 있어 박영준의 「밀림의 여인」과 같은 노골적인 친일문학작품을 낳기도 했다. 그럼에도 이러한 작품들은 '태평양전쟁' 이후 일제의 전시총동원체제 등 특수한 시대적 상황 속에서 한국문학의 현실대

응의 다양한 예시를 보여준다는 점에서는 상당한 가치가 있다.

중국 도시에서의 한국 이주민들의 삶을 그린 작품으로는 주요섭의 「봉천역식당」, 김광주의 「북평서 온 영감」, 「남경로의 창공」 등 소설이 있다. 주요섭의 「봉천역식당」은 화자가 봉천역 식당에서 우연하게 만난 한 한국 여인의 10년간의 변화를 그리고 있다. 처음 만났을 때 이 여인은 행복이 넘쳐흐르던 처녀였으나 점차 남성의 노리개로 전락하여, 나중에는 우울한 모습으로 목석처럼 변해버리고 만 비참한 운명을 그리고 있다. 김광주의 「북평서 온 영감」은 살 길을 찾아 '만주'와 북경 등지를 전전하다가 상하이에 온 한국 이주민의 정신적 소외를 보여준 작품으로서 식민주의와 봉건주의의 이중적 억압 하에 놓인 한국 이주민의 삶을 그리고 있다.

한국 시인들의 중국체험도 주목되는 바이다. 백석, 유치환, 이용악, 서정주 등은 중국체험을 통해 상상력의 확장, 이미지의 다양화 나아가 민족적, 시대적 인식의 전환을 이루게 되었다. 백석은 「조당(澡堂)에서」란 시에서 목욕탕의 벌거벗은 중국인들을 보면서 이방인인 '나'와 중국인들 사이의 역사와 문화, 언어와 몸짓, 그리고 표정 등의 차이를 느끼다가 인간은 결국 벌거벗은 우스운 몸에 지나지 않는다는 초월적 인식에 이르고 있다. 서정주는 취직을 위해 8~9개월 간 중국에 있었던 체험을 바탕으로 "저 만치의 쑥대밭 언덕에서는/ 역시나 때 절은 靑衣의 한 滿洲國 아줌마가/ 누구의 것인가 새 棺널 하나를 앞에 놓고/ <끅! 끅! 끄르륵……/ 끅! 끅! 끄르륵……>/ 꼭 그런 소리로 울고 있었다./ 우리 단군할아버님의 아내가 되신/ 그 잘 참으신 암곰님처럼/ 씬 쑥과 매운 마늘 많이 자신 소리 같었다."(「만주제국 국자가(局子街)의 1940년 가을」) 등 살아서 숨 쉬는 이국 이미지를 창조했다. 또 이용악은 중국 '만주'에서 목격한 망국노의 슬픈 모습을 "울 듯 울 듯 울지 않는 전라도 가시내야/ 두어 마디 너의 사투리로 때 아닌 봄을 불러줄게/ 손때 수집은 분홍

댕기 휘 휘 날리며/ 잠깐 너의 나라로 돌아가거라."(「전라도 가시내」)와 같은 주옥같은 시구에 담아내고 있다. 그런가 하면 유치환은 중국체험을 바탕으로 대체로 여성적인 한국 근대 시단에서 「생명의 서」, 「바위」와 같이 단연 돋보이는 역동적인 시를 써낼 수 있었다.

4. 타자와 중국서사

한국문인들의 중국체험은 중국과 중국인을 소재로 한 다양한 문학작품들의 출현을 가능토록 하였다. 이러한 작품은 중국에서의 전통문화체험을 통한 동양문화의 가치에 대한 재인식, 자본주의적 근대체험을 통한 서양적 가치에 대한 비판, 반식민지 반봉건 사회체험을 통한 현실사회의 부조리에 대한 비판, 항일투쟁체험을 통한 한·중 연대의식 등 다양한 주제를 표현하고 있다.

우선, 전통문화체험을 통한 동양적 가치의 재발견을 보여준 작품으로는 정래동의 수필집 『북경시대』, 한설야의 수필 「연경의 여름」 등과 주요섭의 소설 「진화」, 「죽마지우」 등을 들 수가 있다. 정래동과 한설야 등은 수필창작을 통하여 중국 전통문화의 거대한 힘에 대하여 예찬하였고 주요섭은 소설 「진화」에서 중국문화의 전통성을 인정하면서 동양의 정신적 가치를 발견하려고 했으며 소설 「죽마지우」에서는 북경을 자신의 정신적 고향으로 묘사하는 등 다원적인 문화정체성을 보이기도 했다.

다음으로, 반식민지 반봉건 사회체험을 통한 현실비판을 보여준 작품으로 심훈, 피천득, 박세형 등의 시편들과 최독견의 「벌금」, 주요섭의 「살인」, 「인력거꾼」, 강노향의 「상해야화」 등 소설 작품들을 들 수가 있다. 심훈은 시

「북경의 걸인」에서 걸인의 형상을 통해 하층민에 대한 동정을 보여준 동시에 동등한 운명에 놓인 자기 민족의 고통도 하소연하고 있다. 피천득의 시 「1930년 상해」는 옷을 전당 잡혀 먹을거리를 사야 하는 현실과 곧 팔려갈 어린 생명을 시적 대상으로, 하층민들의 비참한 생활에 대해 공소하였고 박세영의 시 「북해와 매산」은 군벌혼전으로 피폐해진 북경의 암울한 현실을 비판하였다.

이와 더불어, 최독견과 주요섭은 소설 창작을 통해 제국주의 침략과 문화 헤게모니로 하여 식민지화된 상하이 도시문명의 가치결손에 대하여 비판함과 동시에 하층민들의 소외를 적나라하게 폭로하고 있다. 이러한 소설들은 참신한 시각과 심각한 문제의식을 보여주고 있는바, 최독견은 소설 「벌금」에서 중국옷을 입고는 공원으로 들어갈 수가 없는 현실과 서양 여인이 개에게 먹이던 빵조각을 고맙다고 받는 중국인 여성을 통해 굴욕적으로 살아가야 했던 하층민에게 연민의 정을 보이고 있으며 중국의 반식민지 사회현실을 신랄하게 비판하고 있다. 또한 강노향은 소설 「상해야화」에서는 조계지 프랑스인 집에서 노예살이를 하는 중국인과 프랑스 여인의 부정당한 관계 등을 통해 서양의 가치결손과 식민지 조계지에서의 남성의 소외 내지는 타락을 보여주기도 했다. 한편, 주요섭은 소설 「살인」에서 도시 최하층 기생인 우뽀의 형상을 통해 버림받고 소외당한 하층민들의 운명을 보여주면서 그들의 각성을 촉구하기도 했다. 작가의 다른 한 소설인 「인력거꾼」 역시 자본주의 문명이 최하층 인간에게 들씌운 불행에 대하여 묘사하고 있다.

이처럼 상기 다양한 소설작품들은 근대 도시인 상하이를 배경으로 그 속에서 살아가는 하층민들의 불행한 운명, 특히는 생존권을 박탈당하고 소외되어가는 인물들을 통해 식민주의의 죄행을 공소하고 있다. 물론 이러한 문제의식은 한국문인들의 중국에서의 근대적 도시체험에서 얻어진 것이라 해야 할 것이다.

또한, 유자명, 이두석, 이관용, 문일평, 이광수, 최남선, 주요섭, 김광주, 정래동, 강경애 등 쟁쟁한 한국문인들의 수백 편의 기행문들에서는 중국체험과 시대인식이 다양하게 보이고 있다. 즉 이러한 기행문은 중국전통문화와 서양문명에 대한 새로운 인식, 시국에 대한 인식과 비판, 망국 국민으로서의 애환, 민족에 대한 뜨거운 사랑, 민족독립에 대한 열망 등으로 일관되어 있다. 특히 이러한 기행문들은 근대 중국사회를 인식하는 역외시각(域外視角)으로서 귀중한 문헌적 가치가 돋보이는 바이다.

5. 가치 수용으로서의 번역과 비평

한국근대문학과 중국의 관련 양상은 중국근대문학에 대한 번역과 비평에서도 잘 드러나고 있다. 한국에서의 중국근대문학작품에 대한 번역은 주로 양건식, 정래동, 유수인, 이육사, 김광주 등 중국 유학경력이 있는 문인들에 의해 전개되었다. 소설로는 루쉰의 「아Q정전」, 「광인일기」, 「고향」, 궈모뤄(郭沫若)의 「목양애화(牧羊哀話)」, 딩링(丁玲)의 「떠나간 후」, 위다푸(郁達夫)의 「피와 눈물」, 린위탕(林語堂)의 「북경호일」, 샤오쥔의 「사랑하는 까닭에」 등이 있으며, 시작품으로는 후스(胡適)의 「등산」, 「11월 24일 밤」, 궈모뤄(郭沫若)의 「봄 맞은 여신의 노래」, 「죽음의 유혹」, 쉬즈모(徐志摩)의 「가거라」, 「우연」, 주즈칭(朱子清)의 「잠자라, 작은 사람아」, 저우쭤런(周作人)의 「소하」 등이 있으며, 연극으로는 궈모뤄(郭沫若)의 「탁문군 삼경」, 톈한(田漢)의 「상상의 비극」, 어우양위첸(歐陽予倩)의 「반금련」 등이 있다. 그 외에도 루쉰 등의 산문이 번역 소개되었다.

이외, 중국근대문학과 관련된 비평으로는 양건식의 「호적 씨를 중심으로 한 중국의 문학혁명」(1920, 번역문), 김태준의 「문학혁명 후의 중국문예관」(1930), 정래동의 「중국 양대 문학단체 개관」(1931, 번역문), 「노신과 그의 작품」(1931), 「중국문단의 신작가 파금의 창작태도」(1933), 김광주의 「중국 좌익문예운동의 과거와 현재」(1931), 이육사의 「노신 추도문」(1936) 등이 있다.

이러한 중국근대문학 작품의 번역과 비평을 통해 한국 근대 문인들의 중국문학에 대한 인식과 수용 자세, 한국 근대에 있어서의 중국의 사회사상과 미학사상이 미친 영향, 나아가서 한국 근대 문학번역사와 문체의 변천과정도 이해할 수가 있다. 주지하다시피, 한국 근대 문인들은 대부분 일본을 통해 서구문학을 수용하였고 또한 서구문학에 대한 번역과 소개도 적지 않게 진행한 바이다. 그럼에도 프로문학 등 특수한 영역을 제외하고는 한국 근대 문단에서 일본문학이 별로 번역·소개되지 않았음은 주목이 필요한 대목이다. 이에는 식민지시기라는 특수한 시대적 상황 속에서 형성된 이질감과 거부감이 작용했을 것이다. 이러한 점을 염두에 둘 때 한국에서의 중국 근대문학의 전파와 수용은 근대 한국 문인들이 중국 근대작가들과 함께 20세기의 동아시아적 가치를 창출하고 공유하고자 한 시대의식과 무관하지 않을 것이다. 바로 이런 의미에서 중국근대문학에 대한 번역·소개와 비평은 한국근대문학과 중국근대문학, 나아가 중국과의 관련을 해명하는 데 불가결한 중요한 영역이기도 하다.

6. 편찬 동기와 총서의 구성

일찍 2014년 연변대학 통문화센터에서는 중국어로 된 『'중국현대문학과 한국' 자료총서』(1~10권)를 간행한바 있다. 베이징에서 열린 이 총서의 출판 기념 좌담회에서 중국의 근대문학 연구자들은 필자에게 『'한국근대문학과 중국' 자료총서』를 편찬할 것을 제안한 바가 있다. 이에 상기 자료집 편찬의 중요성과 절박성을 깊이 인식하게 된 나머지 편찬위원회를 묶어 총서의 편찬사업을 시작했다. 한국근대문학과 중국 관련 자료는 이미 적지 않은 자료집에서 수록되기도 한 바이다. 예하면 연변대학 문학연구소에서 편찬한 『중국조선족문학대계』, 북경민족출판사에서 편찬한 『중국조선족 문학유산 정리편찬』 등에 수록된 적지 않은 작품들은 편찬자 나름의 시각에 따라 중국조선족문학의 출발점으로 인식되어 중국 조선족문학 권역에 귀속시켰지만, 한국근대문학사에 있어서도 중요한 작가와 작품들이다. 물론 상기 자료집들은 한국근대문학과 중국 관련 연구를 위해 정리된 자료 총서가 아니며 한국근대문학과 중국과의 관련 양상을 살피기에는 전체적이지 못함도 짚고 넘어가야 할 것이다.

한국근대문학과 중국 관련 연구는 1990년대부터 학계의 주목을 받기 시작하여 적지 않은 연구 성과를 내고 있다. 그럼에도 아직까지 중요한 자료들에 대한 발굴과 정리가 진일보 요청되고 있으며 일부 연구들은 충분한 자료적 검토가 확실하지 못한 점도 없지 않다. 이러한 상황은 한국근대문학과 중국 관련양상의 전반적 검토와 연구의 심화에 장애로 작용하고 있으며, 이에 본 자료집은 그에 대한 극복을 목적으로 하고 있다.

『'한국근대문학과 중국' 자료총서』는 편찬 의도를 구현하기 위해 작품 선정에서 첫째로, 한국근대작가들의 중국체험을 바탕으로 중국의 시간과 공간에서 벌어진 인물과 사건들이어야 하며, 둘째로, 중국인들의 생활 혹은 중국에서의 한국인들의 생활을 소재로 해야 하며, 셋째로, 중국체험을 기반으로 하는 동서양 관련 문화인식을 다룬 작품도 가능하다는 원칙을 지키고자 했다. 한편, 편찬과정에서 적지 않은 애로에도 봉착하였는바, 일부 작품들은 당시의 중국 경내에서 꾸려진 신문, 잡지들에 발표되었으나 신문과 잡지의 보존상태가 완전치 못하여 그 전모를 알 수가 없으며, 아울러 신문, 잡지의 경우 여러 곳의 도서관과 서류관에 분산되어 있었다. 또한 일부 작품들은 유고로서 분실된 것도 있었기 때문에 편집자들은 이러한 난제를 풀기 위해 국내외 도서관들을 찾아다녀야 했고 따라서 관련 인사들을 찾아 방문하기도 해야 했다. 비록 편찬자들이 많은 노력과 심혈을 기울였지만 아직 미비한 점이 적지 않다.

본 총서는 총 16권으로서 창작편 11권(소설 4권, 시 3권, 기행문 2권, 정론·실기·수필·희곡 2권)과 비평집 5권이다. 편집과정에서 편찬자는 발표 당시의 원본 형태를 그대로 보여주기에 노력을 경주하였으며, 선불리 개정이나 첨삭을 시도하지 않았다.

본 총서는 편찬과정에서 국내외 많은 한·중 문학관계를 연구하는 전문가들의 열정적인 관심과 도움을 받았으며 특히 국내외 도서관, 서류관의 지지와 성원을 받은 바 있다. 총서의 편집에 도움을 주신 모든 이들에게 진심으로 되는 감사를 드리는 바이다. 앞으로 본 총서가 한·중 문학관계 연구자들과 독자들에게 도움이 되기를 진심으로 바라며, 미진한 점에 대해 전문가들과 독자들의 기탄없는 비평을 기대하는 바이다.

2020년 2월 1일

차례

김승학(金承學) 편

김좌진(金佐鎭) 편

김중건(金中建) 편

김지섭(金祉燮) 편

김창숙(金昌淑) 편

김택영(金澤榮) 편

【己未稿】(1919년)

【庚申稿】(1920년)

【辛酉稿】(1921년)

【癸亥稿】(1923년)

【甲子稿】(1924년)

이욱(李旭) 편

이정(李楨) 편

조정환(曹正煥) 편

최탁(崔卓) 편

한송생(寒松生) 편

중국 국내 잡지에 게재된 한문 시가 편

『독립공론(獨立公論)』 편

『동방전우(东方战友)』 편

『신동방(新东方)』 편

『조선의용대통신(朝鮮義勇隊通訊)』 편

『중국시단(中国诗坛)』 편

『진단(震壇週報)』 편

『천고(天鼓)』 편

『한국청년(韓國青年)』 편

『혁명공론(革命公论)』 편

일러두기

1. 본 총서는 1919년 중국의 '5·4운동' 전후시기부터 시작하여 1948년 남북한 단독정부 수립에 이르기까지 중국인 및 중국에서의 체험을 소재로 창작한 문학작품 중 문헌적, 문학적 가치가 높은 작품들을 수록하였다.
2. 본 총서는 총 16권으로 구성되었는바 소설(1~4권), 시(5~7권), 기행문(8-9권), 평론(10-14권), 정론·실기·수필·희곡(15-16권)으로 나누었다.
3. 초간본을 저본으로 하여 원본의 표기를 최대한 보류하는 것을 원칙으로 하였으나 일부 초간본을 확인할 수 없는 작품의 경우 초간본에 가장 가까운 판본을 수록하였다.
4. 독자들의 읽기와 이해를 돕기 위하여 표기법은 아래와 같은 원칙을 적용하였다.
   - 근대 모음을 현대 모음으로 바꿨다.

     예: ㆍ→ㅏ
   - 근대 겹자음을 현대 겹자음으로 바꿨다.

     예: ㅺ→ㄲ, ㅽ→ㅃ
   - 띄어쓰기는 현행 한국어 표기법의 기준을 따랐다.
   - 소설의 경우 문장부호를 현행 한국어 표기법의 문장부호로 통일하였다. 대화는 " ", 간행물과 단행본의 명칭은 『』, 기사와 작품의 명칭은 「 」, 음악작품의 제목은 < >, 연극작품은 ≪ ≫로 통일하였고, 명확하지 않으면 《 》를 사용하였다.
   - 기행문, 평론, 수필, 정론, 시가, 희곡의 경우 원본의 문장부호를 보류하였다.
   - 원본에서 판독이 불가한 문자는 □로 표시하고 판독 불가한 문자가 1행 이상일 경우에는 주해에 "이하 × 자 판독 불가"를 밝혔다.
   - 원본의 오탈자, 오식은 보류하고 해석이 필요한 경우에는 주해에 "편자 주"를 밝혔다.

     예: 1) "淅江"은 "浙江"의 오식 ─ 편자 주
5. 외래어는 원본의 표기를 보류하였다.
6. 인명, 지명 등 고유명사는 원본의 표기를 보류하였다.
7. 한자는 원본의 표기를 보류하였다.
8. 잘못된 인명, 작품명, 신문·잡지명 등과 한자들을 중국어 원문과 대조해 바로잡았다.

시 III

계봉우(桂奉瑀)[01] 편

警句一

世上魚目徒紛紛, 俯仰乾坤長一嘯。

警句二

生是苟生生且辱, 死於當死死猶榮。

警句三

十年嘗膽家家越, 五世袖口處處韓。

---

01 계봉우(桂奉瑀,1880-1959)의 호는 북우(北愚)이며 조선 함경남도 영흥읍에서 태어났다. 1911년 1월 중국으로 온 이래 줄곧 민족독립운동에 나섰으며 민족교육에 진력했다. 1919년 이동휘가 영도한 고려공산당에 가입하고 상하이에서 활동하다가 1921년 러시아에 갔으며 1959년 6월 5일 끄즐오르다에서 서거. 이 책에 수록한 한시 3수는 『계봉우문집』에서 뽑아낸 것이다.

김소지(金少芝)[02] 편

闻涛有感

棉阳秋尽起层阴, 海畔涛声听有音。
万里风尘能蔽日, 九边笳鼓独惊心。
西巡圣主非无道, 南谪文公不可寻。
国破家遥乡訊杳, 金台回首泪沾襟。

祖国

祖国江山去不归, 三韩回首泪沾衣。
逃名无地容歌哭, 浪迹何年谢是非。

---

02 김소지(金少芝,1888-1943), 선조들은 중국 청조시기에 조선에서 들어와 요녕성 요양(遼陽) 천산(千山)에서 살았으며 줄곧 조정의 세습적인 군직을 물려 이어왔다. 김소지는 1895년부터 한시를 짓기 시작하여 56세에 타계하기까지 3000여 수의 한시를 창작하였으며 10권으로 묶어 『일원시고(逸園詩考)』라 이름 지어 후순들에게 넘겨주었다. 『일원시고(逸園詩考)』에 수록된 한시 3000여 수 가운데 대부분은 15년 동안 하층벼슬살이에서 물러나 북경 교외에서 은거생활을 시작하면서 지은 시들이다. 여기에 수록된 한시들은 바로 1935년부터 별세하기까지인 1943년까지의 시를 선택하여 묶은 『김소지한시집』(김동훈, 리해산 편역, 민족출판사, 2012)에서 뽑아낸 것이다.

本谓请缨豪气在，自从投笔壮心违。
客中岁暮乡思切，风雪凄凉故旧稀。

九日感怀(一)

——内子为八月初九日寅时逝世

卅年夫妇太匆匆，日在分离患难中。
满地干戈来日下，一灯风雨泣河东。
勤于孝养双亲喜，话到贤良众口同。
从此思君君不见，寒窗高卧一衰翁。

十月朔携三儿为亡室烧纸途中口占

结发为夫妇，今生忽忽过。
累君同患难，嗟我太蹉跎。
路远归宁少，家贫抱歉多。
伤心人不见，惟有泪滂沱。

夜雨(一)

廿年橐笔客天涯, 赢得生还鬓发华。
小子未成犹有债, 老妻先故已无家。
愁中岁月如中酒, 身外功名似看花。
海内亲知俱不见, 一杯何日话桑麻。

叠前韵(一)

任教患难渺无涯, 且自吟诗耐岁华。
万事弄人原似梦, 一贫随地可为家。
当年骨肉经霜叶, 今日儿童堕溷花。
修到此生何太苦, 世情纷扰乱于麻。

沂水陈吉元兄来书弔唁题此报谢

1

一纸音书带泪痕，十年惭愧受公恩。
早知古道全终始，更见高情及子孙。
未死先叨身后赠，有生原是冢中魂。
于今莫笑讹鱼鲁，交谊应从两世论。

2

只因一信误传讹，惹得英雄老泪多。
我已颓唐如傀儡，公犹豪迈撼山河。
亲知潦倒枯枝叶，岁月迁延逝水波。
生不逢辰偏不死，摩挲长剑一悲歌。

闷极遣怀

休将穷达系愁思，每人欢然十二时。
灯下与儿谈旧事，枕中要我赋新诗。
贫而得饱何须富，强者多才不若痴。
阅历江湖三十载，恶人得志祸随之。

冬夜(一)

少年豪气撼山河，老至无如世乱何。
才见家贫亲旧远，偏逢粮贵子孙多。
诗书醉我非关酒，岁月催人似掷梭。
涤尽牢骚还一笑，半生忧乐等闲過。

冬日廿二夜作

惟觉闲居乐趣多，那知人世有干戈。
惯谈旧事如温课，喜诵新诗代唱歌。
慰我穷途孺子孝，爱他勤苦弟兄和。
夜来只有涂鸦癖，灯下拈毫自揣摩。

嘉平月十二日

耳渐支离眼渐花，多因心绪乱如麻。
万分不幸空忧国，一事无成又丧家。

为有儿童须教诲, 勉将诗酒作生涯。
当年壮志消磨尽, 埋首荒居只自嗟。

感旧

罢镇归来万里遥, 卅年家境已萧条。
当时骨肉惟吾弟, 今日衣冠是异朝。
浪迹江湖原有幸, 埋头诗酒太无聊。
清宵默忆生平事, 不愧于心足解嘲。

愁闷遣怀

吾生惟恨不逢辰, 未肯低头只合贫。
湖海难求同道友, 儿孙俱是异朝人。
十年捧檄椿萱在, 一旦收帆面目真。
回首身经家国事, 感怀空有泪沾巾。

丙子新正二日作

十载诸侯客, 萧然一布衣。
还家吾亦老, 终日掩柴扉。

正月十二夜病中作此自勉

英雄能在忍, 能忍出高贤。
苏武羁留日, 文山北上年。
死生犹不顾, 饥渴更当然。
问我何难忍, 区区一秒烟。

忆江行

江花红照水, 江草碧连坡。
近郭春烟重, 滨湖夜雨多。
道途销岁月, 舟揖任风波。
沽酒谁同酌, 长年笑语和。

过二闸怀旧

晓风芳草路, 缓步一诗人。
雨过山光近, 春深野色新。
倦游生白发, 垂老弃红尘。
竹马经过地, 重来泪满巾。

闰三月十八日作

风流我爱少年时, 大泽名山任所之。
湖海常经无俗气, 朋侪多见有良师。
每逢高士谈幽胜, 不与庸夫论赋诗。
岂是平生交结少, 一腔孤愤几人知。

灯下遣怀

老见娇儿分外亲, 自渠无母未离身。
昨宵偶寄他家宿, 便觉餐眠想二人。

闲居有感

老至穷愁鬓发华，饥餐淡饭渴粗茶。
心无可用惟教子，事到难言复丧家。
豪杰也须钱壮胆，文章何必笔生花。
回思王道承平日，车马轻肥也足夸。

行游口占

当年匹马到河东，亲旧都来拜太翁。
我若无钱供事畜，椿堂也在不行中。

既醉解嘲

烽火无端起运城，几经奇险末捐生。
一家长幼完婚葬，廿载诸侯识姓名。
有命我为思祖德，问心谁敢对神明。
安贫自古由知足，渭浊何妨泾独清。

渔村即事

春深草长覆轻沙, 网罟参差四五家。
贪酒长年斟绿蚁, 卖鱼村女送黄华。
烟波野店常投宿, 灯火江楼夜唤茶。
毕竟湘沅风物好, 行吟到处得看花。

闲中偶赋

1
山荆别我太匆匆, 除却吟诗万念穷。
本谓心闲思易得, 谁知才短句难工。
江湖屺岵无邪念, 月露风云岂正宗。
四十余年真血泪, 尽情抛入锦囊中。

2
蜩螗时事苦匆匆, 骨傲心高只合穷。
笔有千言谁下士, 身无一技可为工。
偶然求富周亲族, 久矣安贫愧祖宗。
千古英雄埋没处, 夕阳衰草乱坟中。

3

壮心犹在奈贫何，暮景苍凉已不多。
教些儿童供束脯，筑间茅屋作吟窝。
入人耳目无尘俗，荡我胸襟有太和。
是是非非都莫管，任他沧海激风波。

走笔即事

斗大居停豆大官，诗肠空阔酒肠宽。
荣枯有命贫何憾，俯仰无亏梦自安。
空说千金求马易，谁知一饭乞人难。
可怜迟暮亲知少，横被庸夫白眼看。

悼亡

三十年中常别离，一朝分手不移时。
欲留君住嗟无计，恨杀当初未学医。
家贫妻故小儿痴，暮景凄凉强自持。
海水能枯石可烂，月光无复再圆时。

偶成(一)

渗澹经营四十年, 日忘衣食夜忘眠。
浪吟撷得诗千首, 不值人间一个钱。

不寐(一)

竹影萧疏夜有风, 清斋高卧一诗翁。
欲眠恐负窗前月, 偏是诗成在梦中。
吟诗罔费半生工, 千首诗成不解穷。
闻道苦心天不负, 我今何处问天公。

吟诗

1
吟诗原未苦求多, 有好谁知竟入魔。
万种凄凉新岁月, 百年感慨旧山河。
景升有子徒贻笑, 潘岳悼亡可奈何。

厌煞闲人来□语, 不如把酒一悲歌。

2

时人吟咏自矫揉, 情景茫然不讲求。
浪把谰言夸大志, 更将绮语拟风流。
本无血性情何有, 未历山川景是浮。
兴赋比兮讽雅颂, 莫通一窍是诗牛。

感怀(一)

痛到难言痛可知, 两儿犹小去何之。
豢独不惜膏梁贵, 得食宁嫌糙米迟。
事在人为体问卜, 病因贫起莫延医。
从今若得身重健, 一展生平或有时。

自述

历遍江湖不近花, 轻舟肥马亦堪夸。
如何老去贫如洗, 嗜酒躭诗误岁华。

怆怀

自怜垂暮恁孤贫，妻故犹存疾病身。
二子伶仃兼作母，一言宽慰竟无人。
也曾美食餔肥犬，几见贤郎饲老親。
日卧东厨西照下，听渠华屋聒喧賓。

乡居(一)

浪迹江湖三十年，老来何幸得归田。
有书教子家犹裕，无事萦心病已痊。
村酒价廉常独酌，炕炉火暖足安眠。
余生合享清闲福，高卧晴窗养浩然。

九月二十五日作

江上知音不再逢，拂衣归隐独从容。
赁间茅屋先教子，买得荒田便务農。

自有儿童娱暮景, 不愁柴米度寒冬。
古来乱世屠沽里, 多少清高隐士踵。

二十六日作

千秋奇劫我躬逢, 何事于人不可容。
有屋一间犹是客, 买田十亩学为农。
野蔬久食须延寿, 暖炕安眠好过冬。
休问而今朝氏姓, 且从耕凿寄行迹。

夜雨(二)

黄叶雨萧萧, 村孤夜寂寥。
幽怀千里月, 诗思百川潮。
入市车行早, 窥人犬吠遥。
晓风烟树里, 沽酒到双桥。

垂杨柳沽酒道中口占

半生为客作生涯, 赤手归来两鬓华。
万事艰难空望子, 一身衰老更无家。
自炊早膳心犹壮, 学作冬衣眼未花。
世味甜成酸辣苦, 我都尝遍也堪跨。

荒村即事

移居乡曲乐如何, 朝夕黄金饼一鍋。
仲子渐知炊粥省, 三儿争说捡柴多。
四邻寂静无烦扰, 几日安闲起夙痾。
更喜心宽腰脚健, 九龙山顶一高歌。

怀旧口占

游宦三千里, 浮生两世人。
曾辞千顷富, 休笑一时贫。

我自存肝胆, 谁能质鬼神。
兴来谁贳酒, 何必较屈伸。

寒野

1
霜落野田宽, 消闲纵目看。
马疲征路远, 人怯晚风寒。
屋角炊烟起, 松阴积雪干。
赏心无不适, 日暮且加餐。

2
日暮掩柴门, 身衰喜炕温。
伶仃三父子, 寥落一家村。
尽力搪诗债, 浇愁藉酒樽。
明年芳草绿, 重访旧王孙。

3
散步柴门外, 遥山没夕阳。
人行烟树远, 牛碌麦场光。
野菜调羹美, 松枝爇酒香。

风吹霜叶落，童子拾柴忙。

4

寒夜寂无声，中天月正明。
风威荒犬吠，霜紧宿鸦惊。
柴贵无趋市，粮多早入城。
更残人不寐，辘辘小车行。

5

远村闻犬吠，官道有人行。
月落寒林黑，霜铺野径明。
开门儿唤酒，洗手自调羹。
渐觉疏亲友，家贫岂薄情。

6

未老神思倦，多愁气力衰。
加餐徒费米，贫酒欲停杯。
有弟书俱断，无家兴已灰。
不知何日里，吟到望乡台。

初五日三儿拈韵

1

远上寒林咽夕晖, 栖鸦争树落还飞。
行人隐隐烟深处, 知是三儿贯酒归。

2

廿年踪迹满江湖, 赢得生还命不辜。
惟有田间忧患少, 故教儿辈学农夫。

初六日作

一家东道一家邻, 总计全村十二人。
暮景无多惟好静, 僻乡居久竟忘贫。
蹉跎圀下英雄泪, 老病谁论骨肉亲。
自喜生平无愧作, 罢官有子胜黄金。

贫居

远无手足近无邻, 更为庸疏鲜六亲。
无福竟添愁里病, 有儿偏受老来贫。
寒衣灯下伤心泪, 暖炕翻宜疾病身。
自是此生多傲骨, 听天由命不求人。

感怀(二)

半生奔走觅瓮餐, 垂老殇妻泪更酸。
求死一家何所赖, 出门两子挈之难。
贫来骨肉关心少, 乞到亲知袖手看。
殁葬生安三十载, 彼时嘉我是居官。

初十日作

闲于野鹤寂于僧, 乱世谋生百不能。
数颗晚菘留客菜, 半窗人影读书灯。

沽来薄酒常参水, 买得新柴尚带冰。
待到修行圆满日, 携将鸡犬尽飞升。

十一日作

岁月滔滔醉梦过, 妻亡儿小莫如何。
岂真疏懒貪杯酒, 愁比阶前落叶多。

感怀(三)

岂为耽吟夜不眠, 满怀愁思渺无边。
出门忍弃孩提幼, 卧病难期手足怜。
斗室凄凉嗟此日, 举家安享叹当年。
我能补缀儿能爨, 樽出余资作酒钱。

日暮

寒林月上乱鸦飞, 日暮孤村尽掩扉。
驲路烟深人迹少, 儿童斜跨小驴归。

寒夜感怀

1

荆妻一去倍伤神, 多难兼无骨肉亲。
道不可行宁卖老, 儿能行孝岂忧贫。
佯狂作吏三生梦, 侥幸归田两世人。
赢得心闲愁病少, 闭门诗酒乐天伦。

2

垂老殇妻倍怆神, 依依惟觉两儿亲。
挈之远出殊嫌累, 长此闲居又患贫。
死去谁持身后事, 生前原是梦中人。
世间甘苦俱尝遍, 更与渔樵作比伦。

吟咏漫成

一生鯁骨不随时，引得儿童性更痴。
不管门前风雪大，咿哦终日唱新詩。

月当头

荒村又见月当头，草树摇风总带愁。
贫老无家何处去，艰难多故此生休。
海天纵酒成陈梦，关塞杨鞭忆舊游。
当日亲知俱不见，瓮餮杯酒复何求。

城回道中

雨雪凄凉趁市还，归途斜绕九龙山。
寒郊纵目行人少，家在花花深树间。

寒夜(一)

1

往事伤心不可提，半生南北复东西。
却因世变辞浮宦，偏到家贫丧老妻。
剜肉补疮留客食，缝衣炊粥恐儿啼。
嗟予受尽鳏夫累，任是能行路也迷。

2

不成仟佛不成儒，莽莽乾坤一匹夫。
浪说锦旋应富有，谁知垂老幷家無。
膝前仲叔儿俱幼，海内炎凉势已殊。
莫笑归田非善策，几多先哲隐屠沽。

闲游即事

一把砂壶稚子提，间行沽酒到村西。
因看落叶伤先室，不待芦花悔后妻。
孤犬畏人还远吠，乱鸦争树只空啼。
归来共咏须当醉，不是诗颠是酒迷。

冬夜偶成

身瘦偏宜暖炕眠, 暮年腰脚逊青年。
旧愁独有钱能遣, 心病终非药可痊。
拚把荣枯由命去, 不因衣食乞人怜。
夜深默数生平事, 未敢分毫负上天。

冬日早起郊望

辚辚车马过, 风息晓阴阴。
残月悬高树, 炊烟上远林。
酒为浇垒块, 诗欲写愁心。
莫漫嗟歧路, 亡羊或可寻。

风日偶成

风霾连日夜, 天色半晴阴。
煮饭香生甑, 烧柴叶满林。

有书惟教子，无事可关心。
自有田家乐，何须别处寻。

忆昔需次河东奉差赴陕临晋道中补作

客里重为客，河东又陕西。
晚风黄叶路，秋草白沙堤。
马倦人行缓，村遥犬吠低。
首阳山已近，何处拜夷齐。

诗成自述

恣意吟诗不计篇，昼无闲隙夜无眠。
虽然日饮三杯酒，却未空抛一个钱。
岂但消愁兼解闷，纵难增福也延年。
若教个里无真趣，太白如何号谪仙。

闲坐解闷

人生得过且欢然，一日欢然一日仙。
富贵莫非花在镜，妻儿原是客同船。
空身来处三声泪，瞑目归时半缕烟。
何必终朝愁不了，余生犹剩几多年。

何如之

故国繁华歇，郊垧景物差。
河干播稻谷，船朽卧荒沙。
树尽王公墓，房歪守护家。
昔人多不见，衰草夕阳斜。

无事戏成

世事原须作梦看，人情翻覆我何干。
引狼入室奴欺主，娟虎杀生依是官。
得免饥寒生有幸，不争荣辱是俱安。

穷途几度逢佳境, 今日回思梦也难。

诗成自悔

吟诗常悔到深宵, 赢得诗多心气焦。
无奈夜长眠不得, 安排强弩射诗潮。

夜长不寐

知己重逢离别难, 他乡分手更心酸。
长亭落木荒山远, 匹马秋风夕照寒。
一去连州肠已断, 两游湘水泪空弹。
相思欲托衡阳雁, 一纸音书天地宽。

三十年前闽中与表弟榕年留别

回忆闽中离别难, 门前解缆最心酸。

一言未毕声先咽，双目凝时泪已干。
弟已云亡谁祭扫，我犹有子得承欢。
重思三十余年事，熟到黄粱梦已阑。

感旧(四)

卅年湖海梦初醒，往事重谈不可听。
江上知音悲落日，眼中亲友剩晨星。
关山路远音书断，老病身衰涕泪零。
多少伤心离别地，至今魂绕短长亭。

偶成(二)

但愿陶然醉不醒，诗成吟向两儿听。
门前古柏为知已，窗畔黄花是小星。
傲世无心争富贵，耐寒有骨未凋零。
行藏只合山深处，休问人间酌酒亭。

雪中

独醉河桥破笑颜, 纡途偏绕九龙山。
数声清磬云烟里, 一片苍松缥渺间。
鸡犬不闻行客少, 牛羊归去牧童闲。
却因雨雪霏霏下, 来兴吟诗自往还。

咏雪

1
一夜西风万木摧, 今朝忽见雪花开。
膝前幼子投诗去, 篱外村妪送酒来。
平地洒盐真似玉, 漫天飞絮好衔杯。
人生几见宽心日, 沉醉高歌亦壮哉。

2
镜里繁霜白发摧, 良时难得笑颜开。
贫嫌事冗伤妻故, 老觉神虚厌客来。
挥手千金身外物, 放怀一醉掌中杯。
任他鹬蚌争持去, 凿井耕田自快哉。

西村沽酒

白日落苍茫, 西风卷大荒。
出门携幼子, 沽酒到西庄。
独酌村醪酾, 新咸野菜香。
饱飧无个事, 同坐话沧桑。

日暮塞即

烟树茫茫日欲暝, 晚霞红衬远山青。
长郊纵目无相识, 孤雁惊心不可听。
一片人家公主墓, 千秋神木御碑亭。
感今怀古添愁思, 其奈浇愁酒不灵。

冬日遣怀

老至无家强自宽, 欲培筋力且加餐。
身兼作仆怜儿幼, 贫到为农置地难。

卧久一身筋骨重，忧来两眼泪珠酸。
宦游三代贫如此，不是寻常造孽官。

携儿入城即事

膝前孑孓两騃童，门外歪斜几树松。
井臼有时兼作婢，诗书无用学为农。
半生剩稿三千首，一领皮裘十四冬。
历尽艰难身已拙，自从归隐更疏慵。

冬夜之二叠前韵

旧游转眼叹风灯，垂老离家竟不能。
万里依刘弹铗客，十年多病苦吟僧。
前知独有人难识，后悔多因事未经。
徙倚柴门天欲晚，夕阳西下月东升。

误贪杯

一从潮海挂冠回，携得清风两袖来。
鱻粝有时和菜煮，敝袍无处不花开。
儿犹幼稚妻先故，须未曾留鬓已摧。
自恨关心无骨肉，十年坷坎误贪杯。

感旧(一)

一叶东南甲子门，中年西北雪山根。
吹竽滥厕淮军幕，下榻曾邀曲阜恩。
人语荒沙寒有月，马鸣秋草望无根。
于今更忆同游侣，云散风流半不存。

两儿入城闷坐书事

为耽诗酒出茅庐，三十余年苦未除。
多难只今惟自励，一贫从不与人书。
路逢维谷心思拙，运落穷途骨肉疏。

何日甘霖苏涸辙，仰嘘云气满天舒。

叠前韵《不寐遣怀》

1

犬睡鸡栖午不嘩，柳条门外摺篱斜。
做躯幼子人三个，东道西邻户二家。
日暮墙头堆柞子，月明屋角落松花。
从来万事由天命，海阔天空自有涯。

2

霜重栖乌夜不嘩，一窗松影月初斜。
看来儿女无非债，放下琴樽便是家。
衰朽一身霜后叶，芬芳双树眼中花。
人生事事原如幻，遮莫天涯与地涯。

3

茅檐寂寂鹊儿哗，风送炊烟一缕斜。
亦有心情回末俗，向来高节出贫家。
青年享尽庸中福，末路谁添锦上花。
空说为农田未置，且将诗酒作生涯。

冬夜(二)

1

长夜寂无聊, 天寒酒易消。
月明松影瘦, 风稳析声遥。
室暖眠常早, 家贫语不骄。
小儿偏不寐, 絮絮问前朝。

2

一自居鄉里, 寻常不入城。
世情衣帽重, 人品孝廉轻。
夜静风愈劲, 天寒月倍明。
吾生常郁郁, 诗思得横行。

冬夜遣怀

1

自怜晚景剩余晖, 埋首荒村独掩扉。
塞耳厌闻花狗吠, 赏心惟看白云飞。
岂真健饭神俱壮, 毕竟心清体自肥。
默对菱花翻一笑, 几疑初自五湖归。

2

中天皎皎月光晖, 沽酒西村未掩扉。
孤犬吠人狂复怯, 乱鸦争树止还飞。
夜眠土炕牛衣暖, 贫咽粗粮豆腐肥。
自愧儿童长淡食, 几时多买肉鱼归。

冬夜(三)

遥山隐隐下余晖, 日暮天寒独掩扉。
撒手荆钗难再见, 辞根蓬梗又分飞。
自从世变豪情少, 却喜家贫稚子肥。
一卧荒村无所事, 浮生如寄死如归。

闷坐

自从弦断事俱荒, 老父居然变作娘。
每日拼挡粗菜饭, 深宵拼补旧衣裳。
出门不捨双儿幼, 坐食谁帮十指忙。
进退两难空自计, 且将诗酒慰愁肠。

故王坟感赋

英雄轻敌慨, 一战覆全师。
冠剑留孤冢, 儿孙是别支。
功名千古壮, 身事几人知。
响殿碑亭在, 年年过客思。

由城回寓道中即事

缓步教童子, 何须就塾师。
清贫孤剑在, 多难一身支。
世味穷逾觅, 人情老更知。
所言皆阅历, 尔辈慎三思。

自遣(一)

卧病何人近我床, 伤心移到白云乡。
身虽渐老心犹壮, 须未曾留鬓已苍。

去日苦多来日少，大儿常到小儿忙。
昨天巧遇龙山口，秃袖鹑衣学士装。

闲居书事

西风瑟瑟曙光寒，垂老无家岁又阑。
典尽衣裳难戒酒，借来柴米尚加餐。
闲谭莫道为人易，贫极才知度日难。
课罢儿童还不寐，漫漫长夜泪珠酸。

二儿进城独坐有感

迎风北去虑儿寒，妙手归来兴已阑。
鞋破有丁妨触足，囊空过午未成餐。
愁思作客文章贱，贫到求人骨肉难。
旷野虽孤狼狈少，翩翩举止不穷酸。

偶成(三)

身衰举止便艰难，渐觉行多两足酸。
贪酒固知增月费，更衣犹恐受风寒。
海柴热炕腰肢健，山芋充饥寤寐安。
喜有谢家双宝树，依依膝下日承欢。

病中

一生肝胆涉风波，九死归来鬓发皤。
得地幸完身内事，求全难免命中魔。
荒村谢客闲情少，病眼看儿老泪多。
食尽典衣犹不继，那堪小子日啰唆。

三九

三九头兮分外寒，夜来风起似狂澜。
打穿窗纸衾裯薄，吹遍郊原草木残。

卧榻与儿谈往事，开甑有米共加餐。
纵然大雪纷纷下，酌酒吟诗乐自宽。

大风

静夜风如吼，奔腾万马来。
滔滔催去浪，隐隐逐奔雷。
揭地篱笆碌，擎天松柏摧。
严寒有如此，埋首盼春回。

训儿

一家三父子，寒夜卧谈天。
处世勤为贵，当家孝在先。
修行由自己，穷达听苍天。
莫把光阴误，英雄出少年。

冬日

一卧荒村岁又阑, 愁肠撩乱酒肠宽。
家贫但学梁鸿热, 裘敝何妨季子寒。
无事可为常默坐, 有儿解语日承欢。
伤心欲作佣书想, 内顾凄凉举步难。

便中偶作

十四年来一破袍, 半边光板半边毛。
肩能负米身犹壮, 性喜吟诗品自高。
恤老怜贫无骨肉, 拾柴挑水付儿曹。
于今衰矣休相笑, 回首生平意气豪。

村居既久因忆龙王庙风景绝佳漫成一律

隐吏曾居古寺中，数家烟火路西东。
参天翠嶂排窗列，绕砌清泉跨灶通。
争树晚鸦千点墨，向阳秋果半山红。
到来享尽消闲福，真个桃源拜下风。

不寐(二)

1

人生何必叹蹉跎，百岁光阴强半过。
浪迹江湖为客远，高谈风月比人多。
红颜已逐沧桑变，白发无如岁月何。
过眼繁华关底事，槐安一梦醒南柯。

2

人生何必太涓涓，一日逍遥一日仙。
岁月无情须纵酒，穷通由命岂愁钱。
峩冠博带优相戏，侫子娇妻客在船。
贫富悲欢原是梦，晨钟一觉总茫然。

留须志喜

1

留须从此号髯翁，渐觉心清面貌豊。
半世行藏无所愧，暂时穷困总能通。
不须车马酌亲友，多买鸡豚谢祖宗。
盼到新春身复健，远游还挈两儿童。

2

光阴忽忽已成翁，准拟新年口腹丰。
病骨支离金可壮，愁肠抑郁酒能通。
要知归隐陶元亮，不是猖狂阮嗣宗。
心静何嫌村寂寞，承欢膝下有儿童。

不寐

荒村除夕太纷然，糕饼家家祭祖先。
野老高低争日费，儿童颠倒贴春联。
夜燃香烛先辞岁，日着新衣去拜年。
最是闲人无意识，通宵达旦赌洋钱。

留须

我生何晚殁何迟，正是人情翻覆时。
浪迹江城王粲赋，伤心家国杜陵诗。
百年骨肉今谁在，半世艰难只自知。
剩我凄凉三父子，年荒岁暮欲何之。

自遣(二)

人生无奈暮年何，珍重今年仔细过。
身懒却宜交际少，嘴馋惟喜肉鱼多。
毡鞋累赘沉于斗，皮袄麻花破似簑。
笨手缝衣殊自笑，居然一个老贫婆。

送三儿至天津归途感赋

老来携手送儿行，强笑言欢泪暗倾。
九岁离娘原不幸，中年得尔太娇生。

栽培纵藉姑家力, 痛痒难忘父子情。
犹欲殷勤多嘱咐, 悲填胸臆已无声。

雨夜

人情扰攘忽新秋, 一任干戈满地愁。
遁世自甘成弃物, 买田何幸得丰收。
儿童远隔音书断, 风雨连宵涕泪流。
惟盼中原烽火靖, 开尊独醉九龙头。

秋夜(一)

城门三月未曾开, 彻夜枪声震地来。
乱世有家原是累, 小民无主更堪哀。
新粮乍熟勤防盗, 野草将收竟被灾。
况是风霜天渐冷, 教人何处避之哉。

五十二初度

风微月落曙光寒, 好是秋花带露看。
邻叟赠瓜当寿礼, 儿童摘豆佐朝餐。
时方扰攘孤村静, 人到清贫百事安。
况复有收须贳酒, 醉来心境海天宽。

九月

九月凉风起, 乡民戒早行。
柴多先热坑, 粮贵久关城。
蔬食心稍慰, 寒衣手自成。
惶惶三个月, 无夜不枪声。

秋收喜赋

垂老为农尚可行, 种田几亩幸收成。
儿挑野菜供晨馔, 自捡新粮晒晚晴。

人必操劳身自健，胸无得失梦俱清。
忆从未预河东难，一半天年是再生。

秋夜(二)

风雨夜初长，萧萧响白杨。
炕温舒病骨，酒好润诗肠。
烟火才三户，烽烟蔽四方。
乱时贫自乐，无事可惊惶。

村居即事(二)

离离禾黍望无涯，小道斜通隐士家。
卖酒声来人不见，开樽香过短篱笆。

九月四日入城口占

1

浪迹江湖三十春，倦游偏与故乡亲。
凉风细雨黄花路，竹笠芒鞋白发人。
租屋一间闲教子，买田十亩足安身。
耕耘未改吟诗癖，莫笑先生此日贫。

2

晴窗秋尽似三春，闲极惟于卷帙亲。
节近重阳宜醉客，日常七事不求人。
园蔬篱菊罇中酒，野鹤孤云世外身。
满目烽烟关底事，古来高隐半清贫。

思儿

白发孤村夜，秋声带雨寒。
酒醒愁不寐，书好倦犹看。
寄子烽烟隔，行人道路难。
津门虽在望，国事几时安。

九日感怀(二)

小雨重阳节, 孤村隐士家。
壶中留白酒, 篱畔有黄花。
关塞音书滞, 风尘鬓发华。
弟男长不见, 咫尺甚天涯。

秋夜(三)

木叶萧萧下, 风声似雨声。
夜寒霜自响, 秋尽月逾明。
寄食娇儿幼, 伤心老泪倾。
忧深长不寐, 何日复清平。

宵小滋蔓秋夜偶成

世乱身衰可奈何, 中原无处不干戈。
幸而有米亲丁少, 贫到居乡盗贼多。

酒欲浇愁合泪咽, 心虽能忍畏诗魔。
自从了尽生平事, 直把光阴作梦过。

接煜弟双城来书有感

自叹余生剩几何, 可堪南北尚干戈。
寒暄片纸真诚少, 寂寞孤村老泪多。
子职已完犹侥幸, 壮怀无用尽消磨。
登清四海知何日, 如此风涛不易过。

夜警

自喜微躯胜往年, 躬耕陇亩日欣然。
亲朋骨肉情逾淡, 花月琴棋念已捐。
万里归来长自在, 一灯读罢好安眠。
此生俯仰原无愧, 穷达何须叩上天。

閑中遣兴

自觉为农意趣长，开门满眼足风光。
捡柴信口诗三叠，沽酒还肩粪一筐。
半破狗皮青布袄，两餐胡饼豆芽汤。
幸而身外无奇货，斗室高眠梦也香。

秋夜忆三儿有赋

愁觉夜漫漫，思深泪眼酸。
鸟唬秋露冷，人语朔风寒。
寄信回音滞，登程举步难。
但祈天默佑，长教小儿安。

秋居即事

朦朧天色月西斜，肩上荆筐与粪杈。
缓步行歌新口号，饥时干啃剩锅巴。

远闻人语哄粮市，才有炊煙见酒家。
薄醉归来殊自笑，朝暾将上短篱笆。

晓行

古道朔风微，村翁得意归。
露浓疑宿雨，天冷爱朝晖。
半醉干烧酒，周身老布衣。
敢嫌肩负重，赢得稻粱肥。

粮市

炕暖晨兴早，开门尚渺茫。
月斜人影瘦，风稳雁声长。
抬价愚乡里，驱车粜谷粮。
耕耘原不易，曷若謹收藏。

早起(一)

残月正三更, 偏疑月已明。
树梢秋露冷, 村外晓鸡鸣。
驿路忧行旅, 关山未罢兵。
老夫贫自乐, 无事与人争。

日暮

山色敛余晖, 人家尽掩扉。
一团烟树里, 遥见小儿归。

广渠门粮食市

新粮登市语喧哗, 不待人夸只自夸。
累袋盈囊盛样子, 点头拉手算行家。
物虽有主言须巧, 货肯居奇利倍加。
闻道陶朱曾致富, 分厘毫忽作生涯。

闲步口占

浊世纷纷意若何, 壮心虽老未销磨。
衣常席地何妨旧, 食可兼人岂患多。
有弟远游书作怪, 无人滋累酒为魔。
生平自喜胸襟阔, 万却千灾漫忽过。

秋尽

1

寂寞守孤村, 编篱摺作门。
亲知人尽老, 贫病我犹存。
和面榆皮屑, 调羹野菜根。
耕耘常自得, 眉宇尚谦温。

2

白首卧荒村, 天寒尽掩门。
一贫书未卖, 多病酒长存。
祸福由因果, 荣枯在本根。
升沉何足问, 有子侍清温。

乡居自遣(三)

少年驰骋宦场中, 白首居然拾粪翁。
八亩沙田栽白菽, 数椽茅屋坐青松。
经多坷坎心逾旷, 食久蔬粮貌转丰。
我亦辞官陶靖节, 甘贫茹苦问谁同。

早起(二)

旷野秋风硬, 先生步履迟。
有筐兼负酒, 无粪也吟诗。
此乐谁能识, 前途未可知。
到家童子笑, 炊黍恰成时。

初六日早

老伴归黄土, 娇儿滞远方。
忧深人易老, 思苦夜偏长。

劳力鹑衣暖, 安贫野菜香。
何时重聚首, 豚酒饫枯肠。

十一夜作

归雁两三声, 声含无限情。
露浓霜叶响, 天冷月华清。
远道孤儿幼, 荒村百感生。
何时还故里, 深夜话离情。

一家村

不及三家也是村, 篱笆院落柳条门。
半生辛苦诗千首, 每日逍遥酒一樽。
秋后有收长富贵, 日常无语自温存。
却欣筋力颇强健, 布帽芒鞋若个论。

寒夜(二)

落木晚风凉, 柴门接大荒。
夜深人不寐, 隐隐折声长。

早起(三)

露冷衣裳湿, 风威草木凋。
鸡鸣村落远, 人语市声嚣。
旧事从头忆, 新愁藉酒消。
自怜吾亦老, 行处总逍遥。

夜雨(三)

落木萧萧夜雨寒, 短檠相对思无端。
老来叹我儿童远, 贫到求人手足难。
数卷遗书聊自遣, 十年长铗向谁弹。
于今暖炕容高卧, 一枕南柯梦已残。

早起(四)

自从寄劫获安全，赚得头颅感上天。
弟妹远离千里外，儿童不复一灯前。
诗怀未减豪情在，酒量长宏道力坚。
是是非非何足计，世间真理太茫然。

寒夜

老来埋首旧家乡，不改穷途阮籍狂。
絮袄搪寒羞锦绣，蔬餐长饱厌膏粱。
敢夸名士冲怀淡，自喜村翁体质强。
吟到今朝诗更冷，三更风露五更霜。

老农

留得余年作老农，乡间事事觉从容。
晒干野菜酬新岁，拾取山柴足一冬。

美酒酿成供自饮, 寒衣终不遗人逢。
闲中别有陶情处, 日日开窗对九龙。

再寄煜弟

老来多喘畏天寒, 卧久翻嫌两臂酸。
叹我埋头藏拙惯, 向人张口借钱难。
至于犬马皆能养, 而况同胞可自残。
纵欲谋生何处去, 中原烽火正弥漫。

寄信道中

老竟复何如, 荒村事事疏。
绕城三十里, 为寄一封书。

大雪

年年吟咏在秋凉, 枕上灯前逸兴长。
不信请看诗卷子, 词锋凛凛带风霜。

梦后

1

梦入艰难独怆心, 醒来屋冷夜沉沉。
江潮万里青山在, 父子孤村白发侵。
落尽风花悲往事, 但闻霜叶响寒林。
总因故旧晨星少, 况隔重泉何处寻。

2

廿年裘马故人心, 归隐荒村百念沉。
古道优游常自得, 世情纷扰漫相侵。
艰难困苦无同调, 栖息何须择上林。
回首当初行乐地, 太华峰在五千寻。

北京恢复旧名喜而有作

闻说皇都复旧名, 教人能不喜心情。
固知礼制千秋远, 会见山河万里清。
祸国比年羞竖子, 勤王今日有邻兵。
冯唐皓首丹诚在, 耕凿犹思享太平。

拾粪吟

少壮空居斗大官, 老来方解事多端。
长须就火吸烟险, 僵手持叉捡粪难。
小屋一间偏爱暖, 敝裘十载不禁寒。
莫骄贫贱休嫌老, 凡事须从过后看。

顺便谈谈

隐居原想近高贤, 每日嘈嘈震耳边。
雨过房中独滴水, 风生炉口倒钻烟。

三分地亩归官道，二号房东长赁钱。
闻说逆来须顺受，命该如此不徒然。

怀恩上乔建才军门

廉颇古之贤，从容镇九边。
三军怀挟纩，千里靖烽烟。
壁有诛妖剑，家无造孽钱。
罢归八十五，童叟尽凄然。

送信途中

珠海阴山任所之，罢官归隐鬓如丝。
儿常致病肩挑重，我爱吟诗步履迟。
此日壶飧饶乐境，当年裘马半愁时。
苍天益寡分多意，不到真贫总不知。

无题

回想当年郭太君，葬之以礼未孤坟。
纵然尔有通天力，试问家因恁地分。
小马乍行休失路，绵羊宁死不离群。
如何孝悌先人训，直到于今尚未闻。

枕上题煜格照相继以述怀喋喋不休竟亦忘其俚鄙也

匹马遨游四海时，微名曾荷九天知。
生逢末世归应早，官到中年罢已迟。
泪尽鹃心独有血，茧成蚕腹岂无丝。
荒居父子无相顾，事姑试言姑听之。

沙门道中

久弃白骨弃荒乡，何幸衰躯渐渐强。
手足勤劳芦絮暖，胸怀潇洒菜根香。

金钱恰到无时贵, 事业多因有日荒。
始信人生须努力, 莫贪疏懒负韶光。

厕中

十载蹉跎误好闲, 风烟满眼鬓毛斑。
币皆用纸人情薄, 米贵于珠物力艰。
计口岁需粮五石, 栖身谁借屋三间。
从今打破功名梦, 且与渔樵共往还。

杂兴

借碾来村女, 登门问老翁。
未曾过道北, 还否在墙东。
麦粉秋霜白, 芙蓉晓日红。
盘餐诚不易, 出自旋转中。

西村

落日含西岭，层峦敛暮霞。
鸟啼争树杪，犬吠隔篱笆。
人影寻诗客，灯光卖酒家。
悠然一长啸，明月比清华。

十二日

为避尘嚣始落乡，不图屋小更风光。
健行花市犹嫌近，早作冬天亦觉长。
一领羊裘狐貉暖，两餐锅饼御厨香。
看来苦乐由心境，心境宽时意气扬。

闸上(一)

忽见旂飘五色新，顿令老眼一沾巾。
河桥野店聊啜酒，风雪拖床不见人。

故国江山如梦冷, 旧游云物觉情亲。
金台遗迹今犹在, 燕赵终难并入秦。

闲坐偶成(一)

自甘垂老避穷乡, 赢得微躯日暂强。
满榻诗书消岁月, 四围松柏耐风霜。
食能果腹何须美, 酒不沾唇亦不妨。
恃我生平无所愧, 看他傀儡怎收场。

十七日

绕屋皆松柏, 优游亦快哉。
名微能自重, 门小不轻开。
世乱儿俱壮, 家贫志未衰。
一般烦恼事, 无复逼人来。

寄某人

世上谁无手足亲, 劝君千万勉为人。
狂澜入海无非水, 落叶归根总是尘。
自谓一贫成弃物, 我偏垂老更精神。
从来松柏禁霜雪, 而况迎头便是春。

冬至

我生我食我穿衣, 独自而来独自归。
骨肉何曾关痛痒, 儿孙不必较从违。
安贫久与诗情近, 多病偏知酒力微。
出处原同高节士, 任他人论是和非。

绝句(一)

耿耿长宵睡复醒, 欣然盼到纸窗青。
愿教大地烘初日, 未许中天没晓星。

万里波涛留我在, 半生艰险诉谁听。
于今结习都消尽, 惟有樽中酒未停。

自题诗集

1
诗如天籁自然生, 感遇悲欢各尽情。
若把尺绳来缚束, 便吟一句也难成。

2
金髯能诗不求工, 仿佛车轮转转同。
莫谓一文钱不值, 千秋肝胆在其中。

有感(五)

朱颜转眼变苍头, 各有前程即早修。
富贵几何归正果, 才华多半死风流。
千金市德犹儿戏, 片语侵人甚父仇。
立定脚根休反顾, 任他尘世口悠悠。

枕上

矮屋烘烘手自然, 捡来柴草不需錢。
家贫那得中山醉, 身倦难成五夜眠。
梦入关山愁更少, 心如松柏老愈坚。
任教窗外风霜重, 一枕温和别有天。

寒日放歌

1
日月有明晦, 况乎今世人。
我曾千日醉, 难免暂时贫。

2
寂寞孤村客, 昂藏七尺身。
微名当荐达, 此志未全伸。

3
故旧归黄土, 鱼虾莫与伦。
一寒由烂漫, 垂老更精神。

4

世乱还高卧，道遥鸟角巾。
无为独长啸，有酒复深斟。

5

莫笑衣冠旧，依然面目真。
心田培厚道，生意待来春。

诗思

夜来诗思乱如泉，澎湃奔腾出自然。
我欲节流偏不住，教人何处抑涓涓。

晚出朝阳门豫王坟道中

入市归何晚，亲知久未寻。
余钱俱买肉，歧路独宽心。
胆壮狼先避，神清鬼不侵。
豫王坟在望，一片黑松林。

穿天坳

冷雨湖南道, 埼岖万壑连。
背山支小阁, 横竹引清泉。
石滑人行缓, 云深马不前。
阴阴杉树杪, 绝顶欲穿天。

林子口(一)

塞北飞霜雪, 扁舟过洞庭。
岸花迎客笑, 汀芷向人青。
云影高堂远, 湘流故国情。
此时游子意, 无限感怀生。

寒日早起

纸窗微白火初红, 袖手沉吟斗室中。
推食解衣思故旧, 捡柴推磨倚儿童。

丹心似铁身逾壮, 两鬓欺霜貌转丰。
莫谓桑榆收不得, 要将人力夺天工。

吟诗

少小盲将李杜夸, 卅年江海学诗家。
向来只拟阶前草, 今日才开笔上花。
本谓求工穷更好, 谁知垂老兴偏加。
萧条四壁无长物, 断句零篇竞富华。

携两孙回乡即事

玉立亭亭自足夸, 诸孙随我笑还家。
中年享尽人间福, 老去频添锦上花。
芳草河桥行自在, 豆羹黍饼乐无加。
残冬何必愁风雪, 但买春醪庆岁华。

偶成(四)

莫笑先生一旦贫, 先生贫后转精神。
狂吟不死诗为命, 锤錬逾坚铁是身。
磊落多奇难致用, 峻嶒有骨不宜人。
兴来逃出繁华域, 现出匡庐面目真。

自遣(三)

累世清廉稚好贫, 乾坤着我号穷神。
漫张慷慨悲歌口, 独守轩昂道义身。
负重千钧惟责己, 不轻一介取诸人。
严光盛世犹垂钓, 而况区区郑子真。

瘈猘狂吠不休因而赋此

流民不到书中村, 冷落而今郑北门。
放浪形骸惟此日, 闲游随意引诸孙。

三餐贴饼杂花面，一碗清汤野菜根。
野犬吠人休自得，老夫行止最清尊。

十二月十三日宿于宅作

万里惊涛半夜风，挥毫独坐小窗中。
文思未减青春锐，诗境其如皓首穷。
清兴来时灯已灭，邻鸡唱彻曲将终。
自怜老大无成就，惟有谈兵纸上雄。

为霖儿送高梁黍饼等物道中

舐犊深情罔不然，高粱黍饼馈新年。
浑无世虑关心上，惟喜儿孙笑眼前。
除去酒杯身外物，买来竹马杖头钱。
人生半百须行乐，莫遣荒邱起暮烟。

闲中自遣

逃名诗酒自高风, 岂在寻常眼孔中。
闭户不言言尽妙, 知足常乐乐无穷。
千秋盛德惟存厚, 几见奇才得令终。
箝口莫谈当世事, 谁从草莽识英雄。

为人捉刀戏成一首

五十余年老伴娘, 为人偷做嫁衣裳。
生平未见身肥瘦, 背后如何约短长。
花样新陈难自料, 尺头松紧费参详。
儿家针线从来拙, 莫遣旁观笑大方。

霈儿从军濒行有嘱

老父于今竟似娘, 为儿灯下补衣裳。
家贫渐觉三餐费, 油贵生憎五夜长。

惟恐饥寒心备至，不辞劳苦语偏详。
将雏未遂依依愿，赵北燕南各一方。

示小儿

小草滋荣上苑春，栽培端赖霍家亲。
拯民救国应无我，仗义行仁必有邻。
侥幸入门须入室，未曾为将好为人。
从知近水楼台月，不与寻常一样新。

寒夜(三)

不是桃源别有春，旧曾游处物俱亲。
梅花快雪多奇致，杨柳郊亭是近邻。
一饭未尝忘所自，与醯从不乞诸人。
五湖会有扁舟日，岸芷汀兰处处新。

除夕

一醉明朝便是春，童孙把盏意何亲。
时艰久废周旋礼，村僻兼无左右邻。
典地躬耕门外汉，百年肠断梦中人。
松楸远隔何由祭，墓草萋萋又自新。

叠前韵(二)

话到开元独惨然，江南落魄李龟年。
青春射虎长城外，白首缝衣短榻前。
强项不为门户计，贪杯宁蓄买山钱。
纵知三月花如锦，几度狂风尽化烟。

四叠贫居韵

山河无故起腥风，吹入悲歌感慨中。
大厦将倾梁燕舞，小民何罪辙鱼穷。

我亦愿为厮养卒，执鞭婉语论英雄。
朱仙一战金兵溃，白帝弥留潇业终。

除夜

老犹高兴度新年，携槛归来雪满天。
仲子挑灯分供果，小孙研墨写春联。
鮹丝细粉邻翁赠，雀舌清茶手自煎。
夜静尚闻人笑乐，酒醒红日满窗前。

三儿归自天津喜赋

几日桃花落更稀，开樽宁惜典春衣。
多情燕子还相顾，远道儿童竟自归。
喜极翻身疑是梦，老来犹幸愿无违。
从今了却关心事，不向柴门倚夕归。

乡间即事

六月乡村事事忙, 饱餐屋角见朝阳。
老来自惜韶光贵, 馋极儿跨野菜香。
古道荒郊人迹少, 豆棚花架午阴凉。
文章诗赋终何用, 且与入巴战一场。

乡居(一)

苍苍松柏树, 中有丈人居。
犬吠来生客, 儿勤补旧书。
时乖千虑拙, 金尽六亲疏。
而我安天命, 浮云任卷舒。

重阳

落落荒郊三两家, 重阳何处就黄花。
衰躯弱息今犹在, 剩水残山日又斜。

多难以来诗渐少, 一贫差幸酒能赊。
儿童笑说无风雨, 要我登高纪岁华。

秋夜(四)

萧萧风送雁归声, 月朗中天夜气清。
壮志已灰犹有梦, 官场如市迄无名。
繁华过眼黄金尽, 家国伤心白发生。
五十三年忧与乐, 放怀一笑晓窗明。

秋夜感怀

一湾篱落鬼为邻, 中有茅庵息此身。
有酒愿浇高士墓, 无家惟与幼儿亲。
江湖往事成陈梦, 书卷重翻识故人。
好是中天秋夜月, 年年相照不嫌贫。

悼亡室苏宜人

我自恂恂乡落落, 向来得失不关心。
更无一语飘然去, 天上人间何处寻。
冰肌玉骨谪仟俦, 二十八年似水流。
怪道平居常默坐, 本无忧喜在心头。

野望

晚晴平野阔, 山色远微茫。
日落鸦争树, 风生犬吠荒。
感时人易老, 归隐盗须防。
俯仰今殊昔, 栖栖独惨伤。

寒夜(四)

严冬天气静中过, 蓬华孤灯意若何。
手怯书寒知夜永, 身煨衾暖讶春和。

每因事少神先倦，偏是眠迟梦转多。
梦里依稀裘马日，风光满眼旧山河。

村居(四)

四围松柏隔尘埃，小院门当古道开。
屋角涌烟翁乍起，堂前曝日鸟飞回。
家私绰裕诗千首，身世苍茫酒一杯。
墙外有时闻犬吠，故人江海寄书来。

皮袄

近来皮袄破如何，大半江山赤地多。
若比牛衣还觉暖，街头闲煞老贫婆。

早起(五)

1

斗大茅菴豆大灯, 夜深人静冷于冰。
晓来对镜殊堪笑, 添个云游袝褡僧。

2

升沉扰扰叹风灯, 末世人情七九冰。
欲到深山最深处, 筑间茅屋作诗僧。

风筝

芳野新晴泛晓烟, 儿童春暖倍欣然。
乾坤万事无牵挂, 总把心神注纸鸢。

感怀(六)

历历生平事, 回思不几朝。

烽烟孤客险, 湖海一身遥。
世乱家分散, 妻殇子渐骄。
新春榄明镜, 须发更萧萧。

初九日口占

老年犹似少年时, 一种豪华只自知。
未到奇穷难戒酒, 除非真死不吟诗。
无多岁月鷓鴣倦, 大好山河嶠蚌持。
徙倚孤松成独笑, 淡烟芳草夕阳迟。

早起(六)

儿幼也堪怜, 寒宵拥父眠。
纸窗红日满, 犹说未明天。

题照

1

少年匹马别家乡，水驲山蹊客路长。
杨柳绿匀春昼暖，菜花开遍午风香。
卅年踪迹诗千首，万里功名戏一场。
老去自怜还自笑，古今人事总茫茫。

2

买田归隐罢官身，落落乾坤春复春。
宝剑轻装千里梦，青山老屋百年人。
敢将道义夸前哲，留取儿孙步后尘。
我亦黄金台畔士，悲歌慷慨见天真。

春宵不寐

此地学躬耕，三年春草生。
瓮餐今日计，樽酒故人情。
屋窄尘埃绝，心宽耳目清。
夜深眠不得，为爱月光明。

东风

曈曈初日草苗滋, 正是当年试马时。
莫道东风无力气, 将人吹到鬓成丝。

雁(一)

雁尔来何早, 居停未若归。
乘风能奋翼, 啖雪益轻肥。
只畏南天暖, 偏思北极飞。
一生原耐冷, 殊与世情违。

春日述怀(一)

浮生谁与世多艰, 未展微長鬢已斑。
漏屋一间星宿海, 鹑衣四季补丁山。
偶来驿使经年答, 除却教儿尽日闲。
好事新晴无个事, 绿杨阴里听关关。

雁(二)

宿水餐风又几年, 不贪鱼藻自超然。
回翔朔漠重三九, 举足云程万八千。
矰缴远离人意险, 涓埃无与世情牵。
翩翩丰采谁能及, 一字横空有后先。

门前

冰雪化成滩, 门前蜀道难。
有时春气暖, 犹怯晓风寒。
运蹇无长策, 家贫只素餐。
孟尝君已逝, 谁与问冯驩。

书怀之二

我将财贝买阴功, 不向人前逞富翁。
富贵存心原是恶, 儿孙满眼不妨穷。

布衣蔬食随缘乐, 昼栋珠廉过眼空。
垂老不为奸险事, 几人奸险善其终。

春寒即事

日暮天寒早闭门, 槿篱茅屋不成村。
五更窗影松风月, 一榻书声父子孙。
随意沉吟诗脱稿, 寻常斟酌酒盈樽。
清贫别有千秋意, 留取巴音裕后昆。

酒后

闲来把盏意云何, 日月催人似掷梭。
贫不聊生柴米贵, 老之将至子孙多。
更无知己加青眼, 愁见桑田涌白波。
闻道英雄皆寂寞, 酒醒拔剑起悲歌。

廿三夜

落落乾坤一腐儒, 焉哉者也已之乎。
贫犹洁己心原拙, 事必狥人理不输。
烽火频经家竟毁, 江山无恙我何辜。
欲从隙末求生活, 惭愧千秋大丈夫。

春望

烟林何处望金台, 消遣闲愁数举杯。
世事茫茫常自得, 人心扰扰费虚猜。
光阴半逐优游去, 疾病多从患难来。
境到奇穷须放胆, 几回低首笑颜开。

爆竹

芳草芊芊晓日晴, 烟林漠漠有啼莺。
儿怀爆竹行沽缓, 故向村头放几声。

春初即景

映门野水漾微波, 绕屋荒坟古木多。
燕子来时初日暖, 野花开处晓风和。
百年骨肉空追忆, 半世功名一放歌。
如此韶华如此地, 莫教春色等闲过。

雨后

芳草青青昨夜生, 春烟澹澹雨初晴。
村翁不管泥深浅, 斜跨毛驴得得行。

春月夜半闻笛

中天月色逼人清, 风捲长杨作雨声。
夜静谁家吹玉笛, 却疑重到武昌城。

春日

春日煦煦静卧时，童孙知我又吟诗。
悄然熘出篱笆障，偷折垂杨柳树枝。

车轮语

1

光阴坐耗一年年，渐觉山林别有天。
半世名场归隐吏，五更春梦小游仙。
自嗟丧乱无长策，尽把心神寄短篇。
好是清明微醉后，杏花如雪柳如烟。

2

杏花如雪柳如烟，对此春光独黯然。
结发糟糠成永诀，燃眉柴米费周旋。
贫来势若经霜树，老去身如下水船。
闻道穷通天注定，论心原可质青天。

3

论心原可质青天，天道循环理固然。

自古幺魔终自败，听渠一笑了冤缘。
拈来慧剑根须净，斩断情丝藕不连。
我亦有儿能奋发，何须覆水众人前。

清明

那有闲情斗岁华，却从陇亩觅生涯。
杏花风雨清明节，杨柳山村处士家。
四壁仅余书未卖，一贫犹幸酒能赊。
伤心独洒思亲泪，隐隐松楸落日斜。

杏花(一)

1

弱柳千条飏晓风，杏花一树蕾初红。
何来一幅天然画，日在先生赏鉴中。

2

缓步行吟日几廻，一春无事盼花开。

忽闻门外儿孙笑，笑说邻妪卖酒来。

3

连朝小雨作春阴，却为花开酒一斟。
自笑未能除结习，老来犹有爱花心。

村居即事(五)

1

我爱村居好，春宵雨乍晴。
暖风芳草绿，初日远山青。
梁燕教雏语，犁牛带犊耕。
行游殊自得，诗兴豁然生。

2

我爱村居好，心闲岁月长。
短衣春气暖，饘粥野蔬香。
暇日常开卷，花时一举觞。
安贫能自立，不为世情忙。

3

我爱村居好，悠然远市尘。

行藏原在我，荣辱不求人。
鱼鸟新知己，仙狐旧比邻。
一般潇洒性，可以日相亲。

杏花(二)

无风无雨过清明，红杏花开日日晴。
秾李夭桃俱薄幸，玉容仙骨独轻盈。
风流自古皆名士，艳福何曾及后生。
想是苍天怜寂寞，殷勤为慰离别情。

寒日(一)

自嗟事事与心违，懒向傍人论是非。
瓦瓮更无经宿酒，缊袍已是十年衣。
老来骨肉关心少，贫后亲知见面稀。
正苦萧条天又雪，教儿吩犬闭柴扉。

雪夜

连宵风雪撼柴门, 那得浇愁酒一罇。
老境偏饶新岁月, 幼儿颇解奉晨昏。
半生菽水家何在, 万里关山梦有痕。
赢得周身俱是病, 病中滋味与谁论。

乡居(二)

惟有乡居岁月长, 胸无得失自堂堂。
敝衣旧履闲行适, 豆粥山蔬细嚼香。
劫后儿童能孝悌, 热中亲友半乖张。
纵知励志由贫贱, 误尽青年富贵场。

冬日偶成

自遂归田志, 栖栖又几年。
暂无衣食虑, 长盼子孙贤。

道义须由我, 穷通信有天。
残冬殊寂寞, 沽酒一陶然。

有感(一)

1

青春登仕版, 末几起烽烟。
惟恐甘旨缺, 有负高堂前。
所以历湖海, 奔走三十年。
沧桑事屡变, 我亦华其颠。

2

今将事耕凿, 而又值荒年。
起居虽云俭, 衣帽皆不完。
仲子从军去, 稚儿尤可怜。
把酒伤迟暮, 后顾殊茫然。

有感(二)

几经干戈后，凡事与心违。
物贵诗书贱，人稠道义稀。
未能逃世网，直欲弃儒衣。
落落今何似，长天一雁飞。

村居即事(六)

挂名此地学农夫，忽忽三年一事无。
村僻正宜书作伴，粮荒惟恨酒难沽。
得痴儿力贫何害，遵古人行道岂孤。
莫笑浮生甘寂寞，素心原与世情殊。

寒夜训子

飒飒秋风似雨声，与儿倚枕话生平。
卅年作客江湖远，三度临民水石清。

多病敢云家所累, 不才宁与世无争。
乱离未遂光前志, 裕后还期尔弟兄。

不寐(三)

1

少壮自风流, 孤帆万里游。
湖山饶胜迹, 随意小勾留。
藉酒舒豪气, 吟诗寄远愁。
当年鸿爪在, 何只一登楼。

2

寒夜不成眠, 诗思下水船。
才过巫女峡, 又到小姑前。
柔橹舟摇月, 轻风浪接天。
回思犹历历, 都在枕头边。

偶成(五)

孤帆匹马少年时，南北东西任所之。
辛苦半生何所得，两千余首纪游诗。

寒夜遣怀

久把繁华作偶然，历朝兴废渺如烟。
身无恒产骄当世，谁肯清心慕古贤。
儿已成丁应得地，事须责己漫尤天。
因时韬晦非无意，坐看江山几变迁。

冬夜偶占

大雅于今不可寻，井蛙乌足与谈心。
村居镇日闲如病，总把幽怀寄短吟。

十月廿九日作

静夜朔风狂, 奔腾捲大荒。
势冲林欲折, 浑掩月无光。
闭户倚高枕, 抛书入梦乡。
依稀逢故旧, 款款叙离肠。

三十日作

憔悴荒居又一秋, 风烟弥漫几时休。
眼中故旧书俱断, 身外功名梦已勾。
有兴但教诗遣闷, 无钱难藉酒消忧。
于今别有新同调, 天上闲云水上鸥。

绝句(二)

树影诗摇曳, 钟声梦有无。
夜深眠不得, 人与月同孤。

冬月初一日作

裘敝衣单屋透风，晨炊烧得火烘烘。
诗书作侣心常静，狐鬼为邻语不通。
亡国敢矜当日勇，弃官宁受老来穷。
他年列郡征遗集，惭愧吴中陆放翁。

十三夜

落落苍松里，幽栖忽四年。
懒独教子读，贫不乞人怜。
大道三杯酒，生涯数亩田。
心安身自健，何必远求仙。

廿四日作

一从为吏涉风尘，历尽艰难剩此身。
本谓时清须得地，谁知垂老不如人。

梦回卧榻家何在，病入愁村子却驯。
寄语傍观休错笑，古来贤者半清贫。

廿五日作

昔日鸿毛遇顺风，今朝才到阮途穷。
十千沽酒谁能醉，半世吟诗我未工。
掩耳不堪忧国政，扪心犹可对天公。
闲将忧乐从头忆，五十余年似梦中。

竹林即景

何处消寒好，竹林大有贤。
任渠争四喜，惟我占三元。
款款擎杯酒，耽耽覩纸钱。
是真高兴事，无日不新年。

廿八日作

壮心已矣复何求，宁与山林麋鹿游。
故国衣冠成弃物，当年亲友尽埋头。
幸而有弟恩难养，修到无家累始休。
好是逃名尘世外，襟怀比较旧时优。

初二日作

离家三十载，垂老并家无。
况复身多病，兼之自抚孤。
愁深诗兴少，贫极酒肠枯。
所恨时光异，心田本不殊。

初三日作

几经离乱后，豪气未尝无。
大局诚多变，天心眷藐孤。

梓楠希世赏, 荆棘有时枯。
莫漫嗟迟暮, 春回万象殊。

初四日作其二

本来清白子, 儇巧一生无。
官罢名犹在, 儿勤兴不孤。
酒香终日饮, 花好片时枯。
修德多奇福, 循环理不殊。

初五日作其二

世事多翻覆, 予心独可伤。
山河非旧主, 梓桑是他乡。
乞佛粮难买, 欺人纸尽荒。
若逢千日酒, 倾到一壶尝。

初八日作

范叔岂真寒, 儿贤事事宽。
蓬茅泥作榻, 苜蓿瓦为盘。
富假千金易, 贫求一饭难。
瓮中粮十石, 终岁有余餐。

寒月早行

地旷天空月, 清光独可亲。
相随惟有影, 同道更无人。
遇合知何世, 升沉叹此身。
早行殊自喜, 犹似旧精神。

祁家园道中因忆关外风景慨然有作

生小耐风霜, 关山客路长。
雪欺燐火暗, 风引怪声长。

边地黄羊美, 围中白酒香。
可怜吾亦老, 不复卧沙场。

贫居书事

风烟残岁迫, 亲旧晓星疏。
瓮贮赊来酒, 橱藏未卖书。
无求心自静, 安命体常舒。
各有生成福, 何烦叹不如。

闲情(一)

一生消长听苍天, 买个毛驴学种田。
本谓时衰人共弃, 那知家落子能贤。
但求柴米三冬足, 何必衣冠四季全。
鲠骨料无当世赏, 公卿虽贵懒周旋。

早行

早行殊自得, 俯仰庆丰桥。
野火风明灭, 星辰水动摇。
听鸡犹半夜, 沽酒待来朝。
信步皆诗境, 何辞道路遥。

寒日偶占(二)

少年何所好, 走马看青山。
官为思亲罢, 人因嫉世闲。
风霜培傲骨, 文酒见欢颜。
耐得贫而乐, 柴门总不关。

冬日有感

一从为吏涉风尘, 浩劫频经剩此身。
子弟渐成家竟毁, 诗书无用我当贫。

闲来独叹黄花瘦，老去惟于白酒亲。
纵饮弃教千日醉，梦中犹许召孤臣。

叠前韵(三)

四围松柏绝无尘，中有茅菴寄此身。
重读诗书浑忘老，现成柴米不忧贫。
小儿亦有须眉气，末俗谁论骨肉亲。
群竖卑卑何足道，胜清失国有遗臣。

十四日作

1
残冬农事少，茅屋不胜寒。
袖手看书倦，曲肱作枕难。
酒教童子热，棋共野人弹。
一醉浑无敌，胸怀万里宽。

2

新年无几日, 风雪逼人寒。
酒贵开樽少, 诗多惬意难。
矮檐能自忍, 长铗共谁弹。
便到奇穷处, 宅心总是宽。

廿日作

1

半生奔走似游僧, 除却吟诗百不能。
敢谓臣心清似水, 谁知禅榻冷于冰。
世情已空江山改, 吾道偏因岁月增。
踏破芒鞵三万里, 推敲犹喜对孤灯。

2

白首还家吏, 清心退院僧。
田园无半亩, 风雪对孤灯。
酒热阶前叶, 茶煎瓮底冰。
一冬何所积, 诗比旧年增。

3

西北风来劲, 崚嶒刺骨寒。
家贫年事迫, 裘敝早行难。
异代关情少, 同根袖手看。
我儿殊不懦, 环境有时宽。

4

世人浑不解, 迂腐视吾曹。
胆气书培壮, 心神酒炼高。
泛然轻阿堵, 久矣放屠刀。
从此休猜忌, 鸿飞本自高。

寄怀陈吉元沂水(一)

风起夜三更, 怀人梦不成。
轻烟孤独暗, 斜月半窗明。
天地何须我, 江湖未罢兵。
冯唐今老矣, 珍重旧时情。

早起(七)

1

前日朝来霁, 胸襟一豁然。
远山浮积雪, 平野漾轻烟。
黄土犹征税, 青苗不用钱。
向来民食重, 沽酒庆新年。

2

卒岁浑无事, 柴门寂寂然。
中庭犹积雪, 曲突未升烟。
屋冷煤如玉, 家贫纸作钱。
愚民殊不解, 高唱太平年。

除夕既醉

忽闻门外送财神, 岁月悠悠又一春。
万里风尘犹故我, 半生诗酒似迂人。
才如杜牧原无用, 贤到颜回未解贫。
少壮庸疏何况老, 不须奔走逐时新。

民国二十九年岁次庚辰元旦试笔

春日煦煦雪后天, 兴来闲步小村前。
山光脉脉青于昼, 麦色油油碧似烟。
亲故几家循旧礼, 门楣无处不新联。
谁知粮米如珠贵, 外表居然大有年。

雪夜不寐

为爱吟诗夜不眠, 幽怀渺渺一灯前。
江湖旧事浑无梦, 风雪孤村剧可怜。
骥老未灰千里志, 鸡鸣犹是五更天。
兴来写书归田乐, 自觉神情胜往年。

上元感旧

髫年随侍谒丹墀, 正是王公预宴时。
金殿月明人语寂, 玉阶霜冷漏声迟。

八旗竹马收麻胡, 万盏宫灯舞太狮。
圣主慈亲俱不见, 伤心一赋上元诗。

得霖霈两儿书喜而有作

心之忧矣费虚猜, 念弟思儿俱不回。
何幸今朝檐鹊噪, 三封家报一齐来。

得霈儿书口占

垂老身长健, 安贫乐有余。
但求心自在, 不问世何如。
粗粝三餐饭, 缥缃数卷书。
荒田犹是典, 姑且学耕锄。

春日遣怀(二)

豪华岁月等闲过, 不被诗魔被酒魔。
盈虚刻意言常少, 得失关心虑便多。
既是无谋空自悔, 莫如行乐且高歌。
人生贵有英豪气, 历代兴亡等逝波。

感怀(七)

裘敝鞋穿举步难, 桑榆晚景太孤寒。
生成傲骨家先毁, 话到伤心泪已干。
四亩荒田归国有, 三间茅屋代人看。
低徊斗室无长策, 欲卖藏书帙又残。

二闸闲居即事

通惠河桥畔, 荒凉半亩居。
瓮中无积粟, 箱底剩残书。

地僻亲知远, 家贫骨肉疏。
当年孤介癖, 垂老未全除。

闸上(二)

寂寞长堤上, 临流结草庐。
有时倾肺腑, 无梦到江湖。
水阔河声迴, 天寒月色孤。
田园何处是, 闲煞老农夫。

题所居

野水荒凉夜月寒, 谁家小屋傍河干。
绀宫梵宇无消息, 偏有贫僧此褂单。

自叹

1

少壮江湖作胜游, 常将勤俭系心头。
几经世变身犹在, 仍为穿衣吃饭愁。

2

自嗟晚景逾知非, 一卧孤村事事违。
薄有沙田修大道, 竟无丝缕制寒衣。
盘感野菜盐常少, 粥煮粗粮豆更稀。
最是忧心忧不了, 从军儿去几时归。

大风感怀(一)

夜来雨雪藉风威, 室冷如冰气更微。
境到奇穷偏不死, 儿虽纯孝岂能归。
人情只辨家贫富, 世道宁论理是非。
静掩柴门残岁迫, 眼花窗下补寒衣。

寒夜叠前韵

磙磙寒风树作威, 鸡声隐约析声微。
荒村有客谁相顾, 故国无家不可归。
事去敢夸为义勇, 老来翻悔读书非。
旁人莫笑殊顽固, 犹是先朝一布衣。

寒月

1
夜静河桥月上迟, 照人清梦乍醒特。
十年一段伤心史, 天上嫦娥或未知。

2
雪晴寒月出, 凛凛朔风寒。
展被身先缩, 翻书手自僵。
迂疏弃世弃, 贫病迫年荒。
俯仰无生趣, 来春更渺茫。

既醉口占

1

侥幸青春万里游，卅年肥马复轻裘。
不曾五岳舒青眼，那解孤村隐白头。
有酒但邀陶令饮，无钱不作杞人忧。
夜来一醉殊高兴，梦入金陵十二楼。

2

岁莫独凄凉，倾家斗半粮。
典衣还酒债，开锁叹空箱。
贫极丹诚在，忧添白发长。
眼中除夕近，闲看别人忙。

闸居感赋二首

古寺何来挂褡僧，日无香火夜无灯。
肝肠自许刚如铁，骨肉谁知冷似冰。
有限生资陵替尽，不情疾病等闲生。
遥知到处皆荆棘，托钵云游恐不能。

新秋即事

1

才觉新凉百感生, 一身垂老叹无成。
读书罔作千秋计, 怀旧难忘万里情。
征诏累篇留画饼, 敝门长掩谢浮名。
清宵自有关心事, 卧听花间蟋蟀声。

2

几经劫火尚偷生, 志在为农竟不成。
休向当前评世事, 好从闲里阅人情。
杜陵忧愤诗无敌, 阮嵇疏狂酒得名。
醉卧茅庐眠未熟, 打窗凉雨一声声。

早起散步

映门流水去悠悠, 小住河村又一秋。
无事可为爰习静, 有儿能养且消忧。
感时翻觉贫而乐, 忘旧终为识者羞。
最是雨中饶逸兴, 开窗把酒对沙鸥。

怀陈兄吉元沂水(二)

寂寞秋风夜, 怀人独不眠。
情深长入梦, 别久忽忘年。
未尽相交意, 何无再见缘。
漫漫沂水远, 灯下一潸然。

新春试笔

老来多半是闲时, 忽见新黄上柳丝。
万里豪情书剑在, 一腔孤愤鬼神知。
身虽抱病犹躭酒, 事不由衷只赋诗。
若许英才俱寂寞, 未须搔首叹栖迟。

上元既醉

夜静寒窗月色斜, 酒醒心绪乱如麻。
人情若蜡尝逾淡, 世局如棋着已差。

两子未婚犹有责，一身垂老更无家。
何时打破闲烦恼，日日开罇醉杏花。

有感(八)

话到艰辛涕泪酸，崚嶒有骨耐清寒。
文章扫地知音少，荆棘当涂举步难。
半世家私书数卷，一冬常膳粥三餐。
迩来却喜无酬应，赢得心闲梦亦安。

春日晓行

漠漠烟林澹澹风，晓行人在画图中。
心闲欲探春消息，古庙墙头杏已红。
二闸村西小道斜，萧疏春树隐人家。
短墙寂寞无人过，开出一枝红杏花。
烟树高低一望赊，榴篱茅屋两三家。
儿童亦爱春光好，跨上墙头摘柳芽。

二月初六日晨兴过早茶后天犹未明倚枕假寐赋此

誓不虚生天地间, 谁知家国事多艰。
心田可信其如老, 世路难行只得闲。
交友愿逢刘子翼, 有儿空羡窦燕山。
偶然贫富何须问, 小院柴门日日关。

春日感怀

无端烽火黯山河, 回首当年涕泪多。
满地荆榛靡乐土, 半生诗卷尽悲歌。
亲朋寂寞知谁在, 关塞萧条奈若何。
正是中原颠沛日, 登车豪气已销磨。

寄怀内弟苏德芝韩城

年来百事与心违, 骨瘦如柴气复微。
久把浮生当作梦, 拼将真死视如归。

烽烟有日猿狐啸，仓庾无人乌鹊肥。
只合静中观自在，不须重下读书帷。

春雨初霁道中望朝阳门作

春半雨濛濛，危楼晓雾中。
绕堤杨柳绿，隔水杏花红。
嗜饮思陶令，耽吟学放翁。
自怜孤介癖，浑不与时同。

由城还家道中即事

1

乘兴寻春缓步归，晴光荡漾晓风微。
古松绕郭苍逾挺，新菜连畦绿渐肥。
带犊牛耕花户地，唿童人叩酒家扉。
身衰未遂澄清志，惭愧夷齐赋採薇。

2

山河犹是世情非，白首金台一布衣。
大地几人循古道，寸心唯我愧春晖。
荒祠野刹神灵少，画栋雕梁燕子飞。
不向君平问休咎，但求诗酒愿无违。

3

满地轻烟雨乍晴，家家携馌饷春耕。
嫣红姹紫花将放，转绿回黄草又生。
始信兴衰关世运，向来忧喜见人情。
乡居自有天然趣，为探亲知一入城。

闸上望故宫有感

千载皇都气势雄，巍峩金殿晓烟中。
山连西北长城险，水接东南大海通。
兴废几番留胜跡，乱离何处表孤忠。
余生感慨谁同调，埋首吟诗陆放翁。

春晓与儿辈论诗

诗能言志酒消愁, 谁说村居不自由。
柴米无多身外事, 湖山虽好梦中游。
贤愚且付千秋论, 福慧原非一日修。
世态迷离吾亦老, 花开花谢总悠悠。

闲坐偶成(一)

1
春来无事喜吟诗, 省出青蚨作酒资。
数卷残书消永昼, 一生清福属闲时。
安贫所贵辞官早, 守拙何嫌得道迟。
如此乾坤如此日, 矮檐高隐不求知。

2
半世家藏数卷诗, 买田阳羡已无资。
江山或有升平日, 亲旧全非少壮时。
天雨淋漓修屋晚, 海风澎湃补船迟。
我从困苦艰难过, 说与儿曹知不知。

春兴八首步板桥先生真州原韵(选)

1

曙色溟濛过雁啼, 绿云冉冉麦苗斋。
关心旧雨书难达, 散步春风杖不携。
捡韵依稀当日稿, 褶衣珍重故人绨。
自从习静身犹健, 饶有余闲治菜畦。

2

晓来春水緑参差, 正是河夫种菜时。
万事糊涂惟念旧, 一生倜傥不填词。
松嵌罽殿亲王墓, 云锁山门大帝祠。
自叹躬逢靖康日, 买田真悔务农迟。

3

绿杨堤下水潺潺, 鸠舌啾啾哨小蛮。
云气远遮双凤阙, 晴光礽见九龙山。
会须放浪形骸外, 闻道兴衰指顾间。
我亦曾游三万里, 满天风雨及时还。

4

十丈碉楼百雉城, 中原烽火正纵横。
本来天下原无事, 笑说王师必有争。

戎马四国歌楚调, 哀鸿满眼作秋声。
诗人那得匡时策, 惟愿寰球早罢兵。

5

雨晴苍翠满西山, 结个茅菴柳树间。
犬吠门前生客到, 鸟啼帘外小儿还。
养成厚福由阴骘, 数尽穷途转笑颜。
莫道为人容易事, 也须经历几多艰。

6

篱笆院落小柴门, 芳草才生绿有痕。
守死不离书满架, 养生惟爱酒盈樽。
十年卸甲心犹壮, 五夜缝衣眼未昏。
怪底东风连日紧, 殷勤吹醒杏花魂。

运河

门外清流夹柳堤, 当年直达浙东西。
可怜一样昆明水, 不载粮船灌菜畦。

大风(二)

1

墙头春杏未全红，细蕊轻苞蕴酿中。
却怪东君何太忍，无端连日落花风。

2

满地飘红啥怪哉，负他一度杏花开。
东君果有周旋力，莫遣风婆喝醋来。

闲情

邮卒门前唤少芝，惹来邻犬吠多时。
谁知卍字蓝分会，特与诗翁送酒资。

春日河边散步

烟罨轻莎柳罨堤，小村临水麦苗肥。

春深日暖催农事, 雨过泥松陷马蹄。
携榼儿沽邻舍酒, 挑笼人唤抱窝鸡。
岂无触景伤心处, 满眼荒丘杜宇啼。

有忆(二)

布帆曾泛武陵溪, 柳种花娇照眼迷。
倚笛人歌青玉案, 维舟重醉绿杨堤。
酒非尽量心如痒, 诗到求删首一低。
乘兴不妨归廨晚, 洞庭湖上月平西。

告亡室苏宜人墓

六载生离剧可哀, 今朝将相洒坟台。
伤心白发相看老, 撒手黄泉竟不回。
地下翁姑思尽孝, 眼前诸子是中才。
唯君莫怪冥资薄, 稍有余钱必送来。

通惠河晓望

天气晓来寒, 春光隔水看。
崇祠花正好, 溪路雨初干。
官柳依城密, 粮河过闸宽。
千秋王业尽, 摇落一盘桓。

寒食有感

雨霁蛛盘屋角丝, 怀人独立夕阳时。
摊开秫稭燃茶灶, 汲取清泉涤酒卮。
去国儿童谋菽水, 打门巡警敛捐资。
而今物力俱腾贵, 配给云云或可持。

寒食日既醉偶成

老来年命比游丝, 摇曳乾坤不久时。
杨柳溪头听玉笛, 杏花村里试金卮。

心宽且尽今朝乐，世乱宁论往日资。
浪说中原文化早，锦标何以付人持。

怀旧

1
三晋危时奉所差，戎衣匹马奔京华。
茅津渡断无人迹，峡石山空失店家。
烽火灼残函谷月，西风摧尽洛阳花。
几番痛哭申包胥，未见朝廷降尺麻。

2
往事重重记未差，卅年南北足豪华。
青袍屡下陈公榻，彩笔曾题越女家。
浊酒三杯飞竹叶，清歌一曲落梅花。
论章荐稿今犹在，不敌民间半幅麻。

伤时

1

山河如故世情差，暮景无多感岁华。
满地干戈思乐土，一门童叟似僧家。
愁中纵酒神逾困，病后看书眼更花。
典得田园归旧主，春深何处种胡麻。

2

用舍行藏本末差，却来河上避繁华。
担柴负米儿童事，扫地焚香处士家。
三径晓风飞燕子，一帘春雨醉梨花。
伤心最忆黔娄妇，不复尊前伴绩麻。

三块板

1

运河今昔太相差，无复游船斗富华。
桃李春深三百树，蓬茅堤畔十多家。
村姑放鸭随流水，野老骑驴踏落花。
毕竟北方风土异，淤田从不种桑麻。

2

兴减年增事事差, 谁从浊世识清华。
梅妻鹤子林逋传, 匹绢车书海瑞家。
打得闲畦秧野菜, 引来流水灌春花。
傍人漫笑芸窗暗, 尽把新闻当白麻。

3

撤夜推敲韵不差, 柴门茅屋见光华。
杜陵万里悲歌士, 摩诘千秋诗话家。
散步有时披晓月, 多情无力挽翻花。
从今欲脱撄人网, 先把青虹试苎麻。

春望

一春无事为诗忙, 撙节闲钱易酒浆。
扫尽穷愁神自爽, 拈来佳句梦俱香。
晴光遍野融芳草, 柳色沿堤飐夕阳。
日日捲帘看不厌, 居然人在水云乡。

春兴

任他夸富我夸贫，敝帽青衫直到今。
离合悲欢当日事，关山湖海过来人。
儿孙自守家庭旧，头脑难从岁月新。
安得桃源最深处，携将鸡犬避风尘。

感旧

少年投笔弃文章，浪迹名场复酒场。
话到襟怀原磊落，吟来诗句有锋芒。
翻云覆雨人空老，剩水残山国已亡。
回首不堪思往事，敝衣褴履太郎当。

戊申秋送内子归宁宿荣河渡口

为送香车得得行，百三十里即韩城。
黄河浪静看鱼跃，古渡风清听马鸣。

指点芝川天拂晓, 到来薛曲月微明。
村人欲看鸳鸯侣, 多少翁姑带笑迎。

清明前承人惠款感而赋此

节近清明不几天, 迷离芳草绿无边。
杏花村路添坟雨, 杨柳山洼化纸烟。
近日新愁粮骤长, 毕生遗憾酒难捐。
萧然欲下思亲泪, 卍字邮来祭扫钱。

闭门

闭门终日喜吟诗, 诗罢深斟酒数卮。
万里投荒天宝后, 一行归隐靖康时。
自因耿介贫加甚, 本不聪明学复迟。
百劫岂图吾健在, 矍然起舞抑哀思。

有感(九)

摊书日卧小窗前, 兴味年来更索然。
姑且吟詩消白昼, 不须把酒问青天。
雄心侠骨今犹在, 破釜残炉半不全。
恰是春深无所事, 愁思一夜未曾眠。

预王坟

苍松掩映豫坟前, 享殿碑亭碧灿然。
一代英雄埋骨地, 三春桃柳酿诗天。
乞师降将空孤注, 开国元勋虑万全。
不是丰功超宇宙, 如何此处择牛眠。

咏豫王坟院内桃花

寻幽深院一徘徊, 灼灼夭桃照眼开。
想是种花人有意, 怕教蜂蝶过墙来。

闲情(二)

也曾老眼睨前途, 扑朔迷离似有无。
人物几班新傀儡, 江山一榻大糊涂。
隐居自谓贤乎已, 偃卧吾其醉矣夫。
于此终焉何所憾, 诗书犹在未坑儒。

暮春燕台吊古

为吊当年昌国君, 燕台寥落剩孤坟。
桃花媚我开千朵, 春色怡人剩二分。
放眼纵看新气象, 掀髯犹是旧参军。
于今尽有黄金在, 乐毅何曾值一文。

归途有忆

又见花开不见君, 出门满眼尽荒坟。
莺啼燕语春声脆, 水复山重曙色分。
浪迹孤舟悲杜甫, 请缨匹马误终军。

萧然我亦伤时者，便到奇穷不卖文。

暮春书事

1

自家诗草自家看，郁郁胸怀藉一宽。
收麦雨稀春渐老，落花风紧夜犹寒。
刷来枳棘当柴爇，洗净鲜蒿和面餐。
几日心清腰脚健，庆丰桥畔足盘桓。

2

国破家倾我尚存，萧然终日掩柴门。
已无事业酬肝胆，薄有诗书教子孙。
数亩田园身外物，百年忧愤掌中罇。
人生所贵崚嶒骨，荣利区区何足论。

3

海内亲知半不存，颓唐遣我旧京门。
病因忧国兼伤酒，贫到亡家更忆孙。
日坐春风三弄笛，夜邀明月一开罇。
吟成十卷鸣秋集，烂贱文章何足论。

霖通宵达旦田园沾足喜赋二诗

迩来温饱赖耕田，陇亩归官已二年。
祈得甘霖何所用，看人播种也欣然。
垂老仍无半亩田，愁如沧海夜如年。
挂名农籍殊堪笑，雨贵于膏亦罔然。

雨后早餐书事

鲜黄黍饼足充肠，况有葱盐可作汤。
何必珍馐夸盛设，请看强赵武灵王。

早起(八)

月明窗下着衣裳，隐隐鸡声到草堂。
自是生平心血热，老来犹喜为人忙。
出门犹自远闻鸡，雨霁春郊半是泥。
欲问早行忙底事，土城东北坝河西。

亡妹坟前

有妹分离廿四年, 今朝相见是坟前。
亲朋且不循常礼, 骨肉何须送纸钱。
来往徒劳三十里, 死生犹隔九重泉。
低回欲诉伤心事, 老泪淋淋一惨然。

土角楼道中

1

为访吴翁向土城, 晓阴如莫泥人行。
门前小犬当风卧, 河上芒牛趁雨耕。
昔日襟怀千里阔, 暮年奔走一身轻。
拚教此去春衣湿, 赢得新诗数首成。

2

葱茏烟树隐高城, 啼鸟声中缓步行。
野老停锄揖远客, 村姑携馌饷春耕。
向来一诺千金重, 除却三纲万念轻。
国弱家贫吾亦老, 为人谋事总求成。

3

桥头买醉入东城, 为有长髯竟放行。
身外浮云随手散, 胸中余地以心耕。
饥思一饭金珠贵, 贫到孤村礼貌轻。
我不若人人自若, 一遵直道迄无成。

4

饥肠辘辘出都城, 买得醯盐自在行。
倚势军牙如虎横, 曳犁姑妇代牛耕。
早知国富侏儒贵, 不分家贫骨肉轻。
我亦当年青白吏, 一方孤苦赖生成。

5

沿堤垂柳接春城, 驴上行人得得行。
两袖清风空自许, 一犁春雨看人耕。
因风聚散鱼苗细, 点水高低燕子轻。
说与王维作蓝本, 不知描绘几时成。

6

斜月凄清下古城, 晓烟深处有人行。
室犹假我长栖息, 地已归官罢耦耕。
去国心情流水淡, 暮年身事落花轻。
山河尽属新东道, 抚字何须重老成。

再赴土角楼道中

1

台名观象倚高城, 绿野微茫独自行。
历乱坟邱无主问, 低洼隍堑有人耕。
升沉相与诗情厚, 患难频仍世味轻。
好是麦苗经雨后, 蔚然如锦必收成。

2

一诗初就过重城, 良伴相依不厌行。
世外情怀慷以慨, 眼中人物耦而耕。
海川遗墓文辞妙, 市井空言武术轻。
我爱董公豪杰士, 晚年鼎鼎大名成。

3

逶迤十里古辽城, 安步当车爱早行。
林下客来啼鸟散, 水边人曳小驴耕。
桃花绕屋孤村静, 柳絮牵风一缕轻。
自叹今生长落落, 学书学剑两无成。

4

几度穿城复绕城, 两条馋腿爱游行。
夜随皓月寻诗句, 目逐春风看耦耕。

负水朝山原是傻，虎头蛇尾故非轻。
解嘲自谓肝肠热，力尽筋疲十二成。

夜坐

迩来心绪太纷然，抑郁填膺独不眠。
解释子怀惟有月，依依相对小窗前。
一春愁病苦缠绵，老境颓唐甚去年。
惟有今宵桃李月，清光犹似旧时圆。

早行书事

1

不辞怀璧一身单，缓步荒郊十里宽。
残月尚明云欲散，绨袍才脱晓犹寒。
人情只合从头论，世态要知反面看。
随意行吟随意改，全篇容易捉题难。

2

天气半阴晴, 沿途听鸟鸣。
野花迎客笑, 芳草碍人行。
乘兴诗三叠, 当歌酒数倾。
未来多少事, 值得一毛轻。

到家既醉口占

庆丰桥到北新桥, 信步行吟未觉遥。
城市山林三十里, 到家一醉不终朝。

堤上默忆旧游抚景兴怀率成一律

春尽雨如丝, 魂消驻马时。
杏花村店酒, 杨柳驿亭诗。
烽火家书断, 关山客路迟。
行行人逾远, 险阻一身支。

雨后早行

山色溟濛雨未晴, 田塍泥滑有人行。
新禾出土苗如笑, 古木横烟鸟自鸣。
万物滋荣因地力, 百年温饱赖天成。
嗟予未竟躬耕愿, 且为吟诗一入城。

闻某项捐又将实现有感

谁管民间苦辣酸, 数家苛敛万家摊。
狐狸妙用能钻洞, 狗彘乘时想做官。
路入混茫行不得, 儿皆愚懦死犹难。
何年物化辽东鹤, 波隶韩奴仔细看。

三月三十日口占

人间岁月似投梭, 九十春光本不多。
算到此时余半日, 莫如沉醉梦中过。

茅檐

茅檐矮屋任居之, 却是先生惬意时。
屡空箪瓢宁戒酒, 再赊纸笔为钞诗。
穷达易代忧何济, 行不求名乐自知。
饱食更无闲事扰, 满庭芳草日迟迟。

旱

春夏甘霖少, 炎天火镜行。
井泉将尽涸, 禾黍尚难耕。
世运浇风薄, 民忧旱像成。
可怜柴米阙, 贼盗复纵横。

闲居

乡居十载似深山, 两片柴门竟日关。
借问主人何所事, 三千六百日长闲。

关厢遇雨归而有作

娇儿跣足候柴扉，蓑笠村翁带雨归。
恰好诗成人亦醉，掀须一笑竟忘饥。

夜雨(四)

滞雨撩人感慨多，家倾国破复如何。
寒衣未备秋先到，漏屋思茸暑未过。
摆脱闲情书是伴，佯狂当世酒为魔。
几经丧乱身犹在，骨肉萧疏鬓发皤。

郊行

垂老偏逢离乱时，从军儿远系忧思。
乡居自喜无人识，胜似杨州杜牧之。

月夜

一般窗外月, 秋入特清寒。
萤火穿花稳, 蛩声绕砌欢。
思儿萦梦远, 投老放怀难。
不到归来日, 焉能寤寐安。

七月七日晓赴米舅氏约道经广坡喜赋

好雨乘时大有秋, 离离禾黍碧如油。
吾田纵被公家占, 也愿同胞倍蓰收。

镇海楼

岭外金汤固, 崔巍镇海楼。
天低疑近日, 地暖不知秋。
风月无人管, 笙歌慰客愁。
侍亲来万里, 休作等闲游。

仰山楼

闽中尝作客, 独上仰山楼。
海近先观日, 城高早觉秋。
关河如有约, 风月本无愁。
恰好升平世, 全家万里游。

岳阳楼

几生修得到, 把酒岳阳楼。
云气涵朝霭, 湖光漾早秋。
芷兰随远梦, 禾黍触新愁。
一醉扬帆去, 何年更再游。

黄鹤楼

跨鹤人何处, 空余吹笛楼。
帆樯迎日晓, 云树隔江秋。

不作依刘客, 安知去国愁。
武昌鱼自好, 买酒共谁游。

俞楼

缓步桃花岸, 言寻万卷楼。
春阴常带雨, 山好更宜秋。
湖水才添绿, 扁舟不系愁。
凭栏人意爽, 如在画中游。

镇朔楼

策马酬知己, 来登镇朔楼。
西风平野阔, 斜日满城秋。
岁月催人老, 山川慰客愁。
有儿孙绕膝, 何必远方游。

两湖楼

故乡归未得, 同上两湖楼。
雁落江天暮, 葭苍水国秋。
酒香邀客醉, 帆影送离愁。
何日烽烟靖, 陪君返棹游。

大同城楼

军中多故旧, 同上古城楼。
关塞兼天险, 风烟动地秋。
月明烽火暗, 日落鬼声愁。
战后无完垒, 萧条叹此游。

瑶台

缥渺巫咸峪, 萧疏松树林。
登台平野阔, 无雨漫山阴。

月下人何在, 风前独自吟。
流连斜日晚, 老马促归心。

烟台

楼阁疑无地, 帆樯密似林。
风烟连泰岱, 屿岛半晴阴。
蜃气空中幻, 龙声海上吟。
扁舟浏览日, 好景快诗心。

半山亭

芳草亭前路, 旁通镇海楼。
片云平地晦, 多雨半山秋。
烟树兼天远, 风波动客愁。
一官轻万里, 况是举家游。

陶然亭

欲买陶然醉, 江亭胜庾楼。
芦花千顷白, 归雁一声秋。
为有还家乐, 翻牵去国愁。
大都风景异, 非复旧时游。

放鹤亭

隔断红尘地, 偏多歌舞楼。
孤山长不夜, 西子莫悲秋。
月冷梅妻笑, 风清鹤子愁。
若留和靖在, 只恐又云游。

见春亭

一雨雷惊蛰, 春先入上林。
柳眠风自懒, 花孕日长阴。

芳草随人缘, 佳章散步吟。
从来圣天子, 都有好生心。

函谷关

万古争衡地, 巍然剩戍楼。
云拖三晋雨, 山带二陵秋。
治乱嗟天数, 萧条纪客愁。
骑牛人远去, 何处赋仙游。

荆紫关(一)

强国称秦楚, 分疆在此楼。
用兵连岁月, 多事属春秋。
丹水通商远, 蓝关过客愁。
承平今已久, 好景任遨游。

临武城

马前临武县, 隐隐见城楼。
急雨千山暮, 凉风九月秋。
早知相会喜, 不敌别离愁。
回首金台远, 濒行叹此游。

朝邑城

萧瑟芦花岸, 遥瞻鹳鹊楼。
黄河流水阔, 红叶满山秋。
北望亲庭远, 南来客子愁。
一官匏系久, 今始得优游。

土城

小雨浥轻沙, 闲寻卖酒家。
绿杨三百树, 红杏一篱花。

醉比春风懒，归迟落日斜。
故乡贫自乐，何必客天涯。

芦沟桥

晓望芦沟月，高城独倚楼。
金台添一景，宸翰仰千秋。
野旷烟岚合，霜清草木愁。
长桥如玉虹，好是跨驴游。

许昌八里桥

庙貌垂千古，巍然正谊楼。
存心昭日月，得力在春秋。
大义诸侯惧，神威六将愁。
扬鞭从此去，不是等闲游。

飞来峡

千里连江水, 官船似绮楼。
青山多古迹, 红叶正深秋。
别有家庭乐, 全无客路愁。
朝朝买鱼酒, 人在画中游。

羊跳峡

行经羊跳峡, 山草拂船楼。
见日须亭午, 开窗似早秋。
江声风雨骤, 滩势鬼神愁。
所恃惟忠信, 何嫌涉险游。

珠江

一带珠江水, 江边尽筑楼。
管弦常彻夜, 风月属清秋。

海内无知己, 人间有莫愁。
欲随沙艇去, 闲逐浪花游。

桃花江

寒雨漫平沙, 维舟觅酒家。
客心忧似草, 人面艳于花。
夜静孤篷暗, 风来五两斜。
明朝登陆去, 何若宿江涯。

滂江

连日走黄沙, 滂江独一家。
旋风常拔木, 飞雪不成花。
蓦地狼烟直, 书空雁字斜。
何图游子泪, 弹到北天涯。

滹沱河

水涸见淤沙，沙边店几家。
充肠思麦饭，牵马绕芦花。
夕照荒城古，秋风小道斜。
眼看归故里，不复叹天涯。

黄河

磙磙浪淘沙，兴亡帝几家。
岸层分瓦砾，滩底迸芦花。
过渡风须顺，收帆日已斜。
千年秦晋地，严守大河涯。

永定河

秋汎夹流沙，伤哉被水家。
高粱惟见穗，荞麦更无花。

村外民房圮, 河边古庙斜。
奔腾如万马, 浩浩远无涯。

丰镇

举目尽荒沙, 思亲不见家。
倚门人更老, 书信眼应花。
报德年逾少, 承欢日已斜。
春深归未得, 游子恨无涯。

稻地镇

春雨浥尘沙, 停车傍酒家。
白蚶才上市, 红杏正开花。
潮落浦帆远, 风吹箬笠斜。
不妨衣尽湿, 一醉乐无涯。

拦车镇

昨夜窗前月, 相随过树林。
叶干风似雨, 苔湿晓还阴。
古寨牛羊出, 新凉蟋蟀吟。
午尖八甲口, 蔬食惬予心。

南阳镇

捧檄南阳去, 非关择上林。
不甘轻一诺, 敢谓惜分阴。
试作登楼赋, 无为抱膝吟。
荆州人望重, 犹得士民心。

曲水流泉

远闻清磬响, 曲水迸寒林。
海近波涛壮, 山高日色阴。

月明秋雁过, 风定夜猿吟。
老衲参禅处, 寥寥万古心。

问潮泉

古寺西岩上, 低徊橘柚林。
泉潮同涨落, 山野异晴阴。
境岂寻常到, 诗当乘兴吟。
一盂糖素面, 终是老僧心。

六一泉

红藕花深处, 池亭覆竹林。
穿帘飞紫燕, 引水浴清阴。
茶热凭栏饮, 诗成倚笛吟。
一尘都不染, 香久沁诗心。

野狐泉

去城三二里，有地擅园林。
鱼潆清泉活，楼台绿树阴。
昼长无客扰，夜静有龙吟。
日对中条坐，怡然旷我心。

宏义阁

阊阖严钟鼓，旌旄列羽林。
仙桃红似锦，宫柳绿成阴。
朝罢公卿散，风清鹤鹿吟。
苞芽诚细物，聊尽小臣心。

滕王阁

我爱严都督，风流动士林。
大名传海内，高阁俯江阴。

秋水王郎序, 春花帝子吟。
不才应搁笔, 抚景益倾心。

天心阁

高阁严城上, 萧萧黄叶林。
远山分翠黛, 平野异晴阴。
水长观鱼跃, 风清听鹤吟。
此心无所愧, 可以质天心。

晴川阁

远见晴川阁, 估帆密似林。
雨来风不定, 江阔日长阴。
把酒谁相劝, 凭栏空自吟。
依刘尝作赋, 枉费十年心。

芝川渡

禹门河水阔, 村落防寒林。
野渡横秋色, 高原下夕阴。
人稀征雁响, 日暮老龙吟。
断岸孤篷远, 凉风动客心。

风陵渡

潼关环背岭, 秋色见疏林。
水驿连沧海, 山程入华阴。
解鞍徐唤渡, 牵马自行吟。
为问风尘客, 谁无名利心。

清白口

山深行客少, 山果落秋林。
有雨双流紧, 无风万壑阴。

官贫长庙宿, 人静听僧吟。
渐与红尘远, 浑忘得失心。

石港口

1
静卧深山寺, 周围古木林。
松风千壑响, 梧月一庭阴。
人语驮骡出, 僧归宿鸟吟。
何期离乱后, 来此豁禅心。

2
叶干风自响, 山鸟散空林。
日暮孤村静, 烟横万木阴。
低徊长自得, 徙倚一高吟。
渐觉西风冷, 寥寥生古心。

西峡口

万壑斜阳里, 萧疏古木林。
悬崖通峡口, 孤寨倚山阴。
绝巘攀藤上, 长途按辔吟。
朱阳关更险, 指点白云心。

林子口(二)

竹屋立平沙, 渔翁便作家。
烹鱼炊玉笋, 沽酒醉芦花。
月上人将卧, 潮来艇自斜。
秋江鲈正美, 随处是生涯。

湖口

潮落月笼沙, 茅菴不几家。
绕篱开扁豆, 夹岸有桃花。

湖口江帆远, 村头水碓斜。
卖鱼人未见, 烟树渺无涯。

昭君坟

青冢荒山下, 倚斜矮树林。
雪流风自滑, 寒浸日常阴。
寂寞宫中泪, 凄凉塞上吟。
我来犹叹息, 想见汉皇心。

文光塔

红灿棉花树, 黄垂橘子林。
不霜风日暖, 多瘴海天阴。
坐看长鲸斗, 特闻野鹤吟。
山川无限好, 总是异乡心。

临武塔

古刹无人迹, 萧萧疏树林。
风搜秋野阔, 云罩晓山阴。
忆昔燕台别, 同作楚客吟。
明朝归去也, 携手暗伤心。

福州白塔

浮屠何壮丽, 初日照禅林。
霄汉三光近, 风涛万里阴。
片帆收网去, 孤客倚栏吟。
兴尽舒长啸, 清高独赏心。

西南驲

山川杨万里, 图画马云林。
沽酒青帘下, 维舟绿树阴。

日斜沙鸟散，秋近夜虫吟。
月出人声寂，清砧捣客心。

星轺驿

残月拖平地，炊烟生远林。
崩崖泉澹澹，绝壁晓阴阴。
徑转先吆喝，山穷自苦吟。
偶然啼杜宇，游子最关心。

柏井驿

何处秋光好，斜阳小树林。
泉声无远近，岚影半晴阴。
细雨闲花落，微风败叶吟。
一罇茅店酒，将以慰愁心。

冷泉亭

飞来峰下路，迤逦入云林。
泉冷孤亭秀，山深万木阴。
振衣还独坐，得句一高吟。
再到知何日，悠悠空此心。

神头岭

绝巘依天近，微茫远树林。
不知平地雨，只见下方阴。
云气迷樵径，泉声咽鸟吟。
危乎高旷矣，俯仰快诗心。

南天门岭

路尽天门辟，香飘桂子林。
云头虽近日，山半有时阴。

徑险邮亭密, 诗多过客吟。
凉风秋正好, 吹不散愁心。

韩信岭

匹马崎岖路, 荒居皂荚林。
驻军唐敬德, 埋骨汉淮阴。
落日千山暝, 西风万籁吟。
夜长人不寐, 尊酒慰愁心。

二十里岭

廿里岧嶤岭, 孤村枣棘林。
战云秦地迫, 烽火晋天阴。
避乱无人迹, 伤时动客吟。
临危一剑在, 报国有恒心。

岳麓山

眼底见长沙, 人烟几万家。
风帆多似雁, 霜叶艳于花。
邱垤苍苔小, 潇湘白练斜。
豁开千里目, 天地果无涯。

小姑山

门外绕流沙, 江心是妾家。
娉婷夸玉树, 皎洁似莲花。
水涌青螺矗, 帆随白鸳斜。
彭郎原不远, 咫尺隔天涯。

九龙山

年来无所事, 频访道人家。
楼上余诗草, 庭前开菊花。

月明秋更爽, 人醉影俱斜。
莫漫嗟身世, 吾生自有涯。

坨罗盖

1

望望只平沙, 毡包四五家。
一春不见燕, 三伏始开花。
霜浸炊烟淡, 风欺远杞斜。
行军边塞苦, 尤甚客天涯。

2

朋辈似搏沙, 心安便是家。
自惭书带草, 人羡笔生花。
野旷西风冷, 天空落日斜。
萧萧鸣牧马, 残雪望无涯。

大梁底(一)

浩浩平沙地, 风高不筑楼。
逢人如隔世, 飞雪是新秋。
夜宿孤村静, 长征远客愁。
浮生原是梦, 偏爱异乡游。

寒清坝

风急夜扬沙, 萧条店一家。
炕头燃粪草, 屋顶结冰花。
人语东方晓, 驼鸣北斗斜。
酪浆与膻肉, 终日作生涯。

岳州

何日到长沙, 轻舟便是家。
离愁消浊酒, 乡梦绕芦花。

天末归帆仄, 湖边落雁斜。
清风明月夜, 独宿水水涯。

兰湖州

苍葭摇夕照, 黄叶下秋林。
野水潮来阔, 遥山雨后阴。
得鱼常独酌, 无事自高吟。
夜静西风起, 孤舟万里心。

大行山

行行烟雾里, 犬吠有人家。
门种垂杨柳, 篱开扁豆花。
马头泉琐碎, 山缝路倚斜。
欲问从何处, 樵夫隔水涯。

西山

空山人不见, 樵语隔疏林。
而过秋天净, 烟浓晓日阴。
多情成懊恼, 无病欲伸吟。
世乱生何益, 劳劳枉费心。

黄木厂

主人亲种树, 忽忽已成林。
种者归黄土, 伤哉剩绿阴。
不堪回首忆, 空赋断肠吟。
再到西州路, 谁知独怆心。

北京

醉卧诗成后, 深宵月满林。
鸟声啼树杪, 萤火绕花阴。

死有光明乐, 生多忧患吟。
怪来诗句速, 茶好益清心。

西岩

好是西岩徑, 深藏绿竹林。
泉随潮汐长, 山接海天阴。
远客乘清赏, 闲僧自苦吟。
红尘飞不到, 啼鸟悦诗心。

龙道村

寻春何处去, 春入绿杨林。
野老耕新雨, 游人歇午阴。
村村当画看, 处处以诗吟。
信口教儿读, 琅琅己在心。

白河

白水绕黄沙, 当年隐士家。
草庐余古柏, 仙境有昙花。
遗迹长罔在, 荒祠石兽斜。
力难延汉祚, 千载恨无涯。

先茔

1
遗爱佳城柳, 春来绿满林。
低枝含宿雨, 远影恋朝阴。
束帛躬身化, 新诗带泪吟。
先君亲手植, 回首更伤心。

2
树老人何处, 神归月满林。
亲朋思厚道, 儿女被余阴。
落日群鸟集, 悲风万籁吟。
一家勤俭在, 差慰九泉心。

3

家境犹如昔, 栖栖守故林。
有人嘲阮籍, 无母饭淮阴。
身倦春初健, 思清夜更吟。
自知顽固甚, 独抱岁寒心。

海门

舣岸渔成市, 帆樯似茂林。
潮来山脚响, 涛壮海门阴。
鳄岂常人祭, 龙为谪宦吟。
韩昌黎到此, 无愧老臣心。

大靖门

半世鸿飞远, 中年返旧林。
山河归异域, 风雪郁层阴。
欲作江南赋, 翻来塞北吟。
门楣书大靖, 何以靖人心。

蟠桃宫

不入危邦久, 何心上酒楼。
一朝长似岁, 三月冷如秋。
器具当街买, 糇粮比户愁。
蟠桃宫左右, 徒见鬼魂游。

通惠河行窝

通惠河边宅, 萧疏半亩林。
落花三月雪, 垂柳一庭阴。
书岂髫年读, 诗多客路吟。
儿孙皆长大, 无事可关心。

五福馆

雨后踏轻沙, 因过米芾家。
绿杨将结蕊, 红杏正开花。

龙马千山合, 蜿蜒一徑斜。
清溪通渤海, 流出归天涯。

八达岭

八达巉岩岭, 孤村雪满林。
石皆嵌树影, 春不度山阴。
月出哀猿啸, 天寒远客吟。
且斟茅店酒, 灯下遣愁心。

太子城

何处吹葭管, 荒山小戍楼。
五更长似夜, 四月冷如秋。
蜡尽偏无泪, 泉流自诉愁。
早知离别意, 不作异乡游。

平定州

联骊霜树里，好景入诗思。
人语烟深处，钟声日落时。
马疲投店急，牛老下山迟。
客路谁相识，灯前酒数卮。

大梁底(二)

天高孤月小，寒影照人清。
戍古烽烟断，山荒猎火明。
沙滩羊聚宿，毡帐马悲鸣。
何处吹笳管，疆场激战声。

长江

击楫中流望，烟波一色清。
潮来江草偃，日出野花明。

溪浅桥多凸, 滩高水自鸣。
依依谁送客, 千树子规声。

雍和宫

闲步雍和宫, 宫门气概雄。
春烟两行树, 斜日数声钟。
螭角盘归鸟, 狮鳌坐老翁。
相谈惟旧事, 多半在咸同。

荆紫关(二)

荆紫关何在, 纡回溪徑艰。
八磐嵌石岭, 千仞喷云出。
路绕泉声里, 人喲树色间。
年来纡尽策, 行役是清闲。

김승학(金承學)[03] 편

亡命路上[04]

不怕偵犬入, 最畏蚊群侵。

渴含自己水, 饑餐玉蜀黍。

兄弟峰頭層立石, 一推直轉擊追兵。

怡和洋行汽船便, 輸送手槍數百杆。

無恙穩着寬縣否, 我亦乘時問爾安。

革命客從亡命路, 宜令官憲起疑心。

03 김승학(金承學,1881-1964)은 호 희산(希山), 자는 우교(愚敎), 평안북도 의주사람이다. 1910년 10월 중국 요녕성으로 망명했으며 1919년 7월 유하현 삼원포에서 대한독립단에 가입했다. 1921년 4월에는 상하이 『독립신문』 사장, 임시정부 의정원 의장을 지냈다. 여기에 수록된 한시는 1919년 이후에 창작된 것으로 모두 『독립군시가집』(송산출판사, 1984.10.)에서 뽑은 것이다.

04 1920년 5월 상하이에서 무기를 구입하여 이융양행(怡隆洋行) 기선편으로 삼두랑구(三頭浪溝)에 도착하여 외적의 추격으로 도피하면서 지은 시임.(『독립군시가집』, 송산출판사, 1984. 10.)

檻車[05]

去國離家廿有年, 檻車回見故鄕天。
愁雲應漠馬山下, 豪氣暫潛鴨水邊。
販槍激動義軍勢, 史筆驚醒事大眠。
上林何日烏頭白, 回節韓廷國威宣。

獄中感懷

問哭老師又哭親, 人倫罪惡重吾身。
鐵窓弔月因無色, 面目淚汗自濕巾。
處世忠心超凡老, 奉先誠力出天眞。
雪夜霜朝出寂地, 誰能代我掃墳塵。
我生我長素寒微, 母織父耕妻採薇。
不事家生貧若洗, 衰侵鬢髮雪紛飛。
手植庭槐成棘蔭, 傳來墓幕弊柴扉。
傍人莫笑行無跡, 徐待公論定是非。

---

05 1930년 7월에 삼부(三府)합작을 마치고 임지(任地)로 귀환하다가 일헌에게 체포되어 국내로 압송되면서 지은 시임.(『독립군시가집』, 송산출판사, 1984.10, 393쪽)

五十而覺

如昨生過五十年, 世情晩覺始知天。
六尺雖擊縲絏下, 方寸恒在舞臺邊。
好事備甞三國獄, 無功猶忝兩朝恩。
喪家亡國因何故, 總是未醒事大眠。

獄中慘狀

定界紅墻遠揷天, 中建小國問幾年。
佩劍巨頭局中王, 假仁老僧佛前眠。
自古帝君施毒處, 到今弱者滅身邊。
若不打埋此等窟, 大衆所願終難宣。

김좌진(金佐鎭)[06] 편

斷腸之痛

刀頭風勁關山月, 劍末霜寒故國心。
三千槿域倭何事, 不斷腥塵一掃尋。

向祖國進軍

炮雷鳴送萬邦春, 大地靑丘物色新。
山營月下磨刀客, 鐵塞風前秣馬人。
旌旗蔽日連千里, 鼓角掀天動四隣。
十載臥薪嘗膽志, 東浮去海掃醒塵。

---

06 김좌진(金佐鎭, 1889-1930)은 자는 명여, 호 백야(白冶)이며 충청남도 홍성군에서 출생하였다. 1911년 중국 동북지역에서 독립군사관학교를 세우려 자금을 모으다가 일경에게 피검되어 서울 서대문형무소에서 2년 반이나 갇혀 있었다. 1916년 "광복단"에 참가하였으며 1917년 8월 중국으로 와 독립활동을 시작했다. 1919년 북로군정서 무장독립군 총사령으로 되었고 청산리전투를 겪은 후 부대를 거느리고 밀산에 이전하여 10여 개 민족독립단체로 이루어진 대한독립단의 총재를 지냈다. 그 후 신민부를 세우고 중앙집행위원장을 맡고 활동하던 중 1930년 1월 반역자에게 피살되었다. 여기에 수록한 한시는 그가 북로군정서 무장독립군 총사령으로 활약하던 시기에 읊조린 시편들이다.

김중건(金中建)[07] 편

白頭山有情

白頭山色四時雪, 鴨綠江聲千里波。
龍心豈足王魚國, 鶴行本非濕蘆洲。

建元元年元旦作詩

琴調雖有妙, 奈何指不妙。
須得指妙彈, 奈何耳不妙。
庭中有一樹, 日月總無影。
根據盤石裡, 棵立淨土上。
枝長葉又大, 花妙果又貴。
我將摘此實, 一飽宇宙饑。
山深水根深, 天高鳥飛高。

---

07 김중건(金中建, 1889-1933)은 도호(道號)는 소래(笑來)이고 별호로는 연산(蓮山), 불폐(不吠), 몰나(沒那), 역양호인(嶧陽湖人) 등이 있으며 중국에서 원백이란 가명을 사용하기도 했다. 1914년 중국 지린 훈춘에 망명하여 원종교(元宗教)를 표방하고 민족독립운동을 벌였다. 1933년 3월 헤리룽장성 닝안현 팔도하자(黑龙江省宁安县八道河子)에서 피살당하였다. 여기에 게재된 한시는 『소래집』 제1권(소래선생기념사업회 편, 1969)에서 뽑은 것이다.

寧爲蜂衆將, 不作虎君臣。
今日逢子貢, 明朝得孔明。
我將此數子, 大齋宇宙歌。

會寧獄詩

朔風吹我送鄕關, 飛雪寒雲客味酸。
誰喜更瞻彼日月, 奈羞忍踏此江山。
羣啼世界孤情熱, 一笑乾坤萬事間。
到此偸生何所足, 以其道在是人間。

寄海山翁(對句)

胸中靜矜三更月, 心上思慮四時春。

김지섭(金祉燮)[08] 편

平生志

萬裏飄然一粟身, 舟中皆敵有誰親。
崎嶇世路難於蜀, 忿憤輿情甚矣秦。
今日潛踪浮海客, 昔年嘗膽臥薪人。
此行已決平生誌, 不向關門更問津。

仗義挺身

丈夫挺身立, 無語劍自鳴。
千秋未盡恨, 都付易水聲。

---

08 김지섭(金祉燮, 1884-1928)은 호 추강(秋岡)이며 경북 안동에서 태어났다. 3·1 운동에 참여한 뒤, 독립투쟁을 목적으로 국경을 넘어 중국·시베리아 등 각지를 돌아다니다가, 1922년 상하이에서 의열단에 입단하였다. 1924년 1월 5일 일본 천황을 살해하기 위해 동경에 이르러 황궁이 있는 니주바시(二重橋)에 폭탄을 던졌으나 미수로 그치고 일경에게 체포되어 옥고를 치르다가 1928년에 사망했다. 이 두 수의 시 가운데 한 수는 1923년 배를 타고 거사하러 일본으로 가는 배안에서 지은 것이고 그 외의 한 수는 거사를 수행하지 못하고 체포되어 옥고를 치르다가 옥사하면서 남긴 시이다.(『독립군시가집』, 송산출판사, 1984)

김창숙(金昌淑)[09] 편

09 김창숙(金昌淑,1879-1962), 경상북도 성주에서 태어났으며 자는 문좌(文佐), 호는 심산(心山), 벽옹(躄翁), 벽자(躄子)이다. 1919년 3월 23일 중국 단둥을 거쳐 봉천(현재의 선양)에 도착했으며 3월 27일 상하이에 가서 독립운동에 가담하였다. 1919년 7월에는 자신의 유교적 교양을 바탕으로 손문(孫文)을 비롯한 중국 국민당의 인사들과 교류하였고, 그들로 하여금 한국독립 후원회와 한중호조회(韓中互助會)를 결성하게 하는 데 공헌하였다. 특히, 망명한 한국청년들의 교육에 힘써 능월(淩越)·오산(吳山) 등의 도움을 받아 50여 명의 학생에게 숙식을 제공하고, 영어·중국어 강습을 받도록 주선하였다. 1920년에는 단재 신채호(申采浩)를 도와 『천고(天鼓)』(1921년)를 발행했고, 이어 박은식(朴殷植) 등과 협력하여 『사민일보(四民日報)』도 발간하였다. 1927년 상해 공공조계(公共租界)의 영국인 병원에서 일본인에게 붙잡혀 한국으로 압송되었고, 그 뒤 14년의 형을 선고받아 대전형무소에서 복역하다가 옥중투쟁과 일본경찰의 고문에 의해 두 다리가 마비되어 형집행정지를 받고 출옥하였다. 광복 이후 1946년 9월 25일 성균관대학의 초대학장에 취임하였다. 저서로는 시문집인 『심산만초(心山謾草)』와 『벽옹만초(躄翁謾草)』, 자서전인 『벽옹칠십삼년회상기(躄翁七十三年回想記)』가 있다. 1973년 김황(金榥)이 이들을 편집하여 국사편찬위원회에서 『심산유고(心山遺稿)』를 간행하였다. 여기에 수록된 김창숙의 한시는 바로 『심산유고(心山遺稿)』에서 중국체험 관련 시거나 중국에서 함께 독립을 했던 운동가들을 그리는 시들을 수록한 것이다.

金一松[10] 東三 招魂辭[11]

(一松先生, 竟不起於西門狴中, 其友浮屠韓君龍雲等, 治其喪, 就新溪寺茶毘之。嗚呼, 先生, 儒者也。左海青山, 今無可窮之地, 無寧付身骨於佛氏之炬, 而魂魄悠揚, 與溥齊丹齋數君子, 翺翔耶。躄翁金愚, 病休東海上之鶴城山中, 北望大哭, 搆楚些數闋, 使香徒, 歌以招之曰。)

鯷山屹兮鯷水淵, 正氣亭毒兮生若人。
嗚呼正氣兮長不湮, 魂歸來兮庶踆踆。
遼塵黃兮遼風黑, 一松青青兮生顏色。
嗚呼一松兮今已踣, 魂歸來兮正惻惻。
燕樓冷兮燕市冥, 文山去兮北風腥。
嗚呼天醉兮尚不醒, 魂歸來兮莫留停。
新溪咽兮漢水悲, 無地可窆兮颺茶毘。
嗚呼採環兮也有期, 魂歸來兮莫支離。
鶴山哀兮洛浦思, 龍亡虎逝兮號狐狸。
嗚呼河清兮會有時, 魂歸來兮莫遲疑。

10 일송(一松)은 김동삼(金東三)의 호이다. 김동삼은 경북 안동 출신으로 독립운동가로 중국 동북지역에서 활약하다가 왜경에게 잡혀 서대문 감옥에서 순국했다. 한용운 등이 신계시에 모시다가 화장을 하였다.

11 『심산유고(心山遺稿)』에는 詞에 수록되어 있다.

獄中作丁卯○以下事變後

牢窓鬱鬱不堪眠, 況復櫻花爛熳天。
可惜三春餘幾日, 還嗟一病臥多年。
痴魂每越遼山[12]外, 歸夢頻驚洛水邊。
笑殺重重羅網裡, 奮身安得駕飛船。

獄中感憶同囚人[13]安昌浩 呂運亨

櫻花窓畔月如霜, 便使狂奴惹感傷。
隔壁故人如隔世, 向誰傾倒此肝腸。

---

12 "遼山": 1927년 대구 감옥에서 지은 시로 독립운동을 하던 중국 땅을 가리킴.

13 김창숙이 형이 확정되어 대전 감옥으로 이감된 후 서울에서 이감되어 온 안창호와 여운형과 함께 대전옥에 있었다.

丙子元日曉坐述懷寓達城時

十載燕樓[14]九死身, 胡然又見是年春。

妻衰底事歸山裡, 兒病多時臥海濱。(時, 燦兒以貞疾, 携藥赴蔚山之白楊寺, 經歲不還。)

舊國衣冠餘涕泗, 誰家絲竹雜喧嗔。

殘燈强引盃中物, 百感徊徨不寐人。

悼申丹齋[15]采浩二絶申君歿於旅順獄中、友人徐世忠等、火其遺體、收拾殘灰、歸葬于淸州故里

聞君身骨火金州, 君去靑邱正氣收。

玉樓修文君好去, 蚋甕其奈後死羞。

聞君旅櫬下淸州, 祗拾淺灰瘞首邱。

問君魂魄隨還否, 君去應從溥老游。(溥齋李公相卨, 卒於露領之浦鹽, 臨終託同志火葬故及之。)

---

14 燕樓: 베이징을 말하며 중국의 망명생활을 상징적으로 말한 것이다.

15 申丹齋는 신채호를 가리킨다. 이 시와 같은 제목으로 『동아일보』(1936.3.5.)에서는 다음과 같이 게재되었다. "聞君旅櫬下淸州, 君去靑邱正氣收。玉樓修文君好去, 其奈狂奴後死吁。聞君身骨火金州, 只拾殘灰向故丘。問君魂魄隨還否, 君去應從溥老游。"

安島山昌浩見訪

昨日大哭丹齋子, 今日偶逢島山君。
顚倒相迎慘不語, 有淚和泗縣連脣。
但誦隱侯同衰句, 故久摻手不忍分。

挽孫丈伯淵晋洙

東都孫處士, 自謂唐虞民。
簡亢還違俗, 木剛寔近仁。
無波是古井, 有節直秋筠。
交絶黃金諾, 心存赤子眞。
仲由寧恥緼, 元亮不憂貧。
燕狴禍何急, 秦坑道莫伸。
暮年捿海曲, 雋望聳衿紳。
晋鄙猶薰德, 楚狂詎擬倫。
識荊願未遂, 去國聚無因。
賢胤謬相仗, 季方許最親。
奇緣滬市客, 大哭宋園隣。(己未之役, 公仲弟仲璇, 與余同赴上海, 同處四閱月。仲璇不幸病卒, 葬于上海宋園東數武地。明年七月, 公至上海, 與余同往仲璇墓, 哭之)
天意嗟難質, 我生胡不辰。

逋蹤危一髮, 高義仰三旬。(乙丑歲, 余秘踪歸國, 舁病訪公于立岩寓所, 公臥我起我, 三旬有餘)

誼忝葭莩好, 恩深肉骨均。

瑤琴遽撤響, 書帶奈委塵。

此別終千古, 吾徒欲百身。

賤俘吗病久, 惡抱向誰陳。

擧目醢鷄甕, 哀哀後死人。

謝客帖二絶以下白楊寺養病錄

(丙子閏三月初吉, 自大邱寓所, 舁病赴蔚山白楊寺, 盖爲討僻養閑計也。敢用退陶先生謝客詩韻, 構二絶, 榜諸寺壁, 謝來尋僉位)

艱關十載底經營, 還笑梵燈影守形。

山外囂塵從此隔, 時呼猿鳥好相迎。

一躄無言此世營, 還慚喘喘尙留形。

如今但竢悠然化, 欲向門前斷送迎。

九月十二日夜, 獨坐聽雨, 用遠客坐長夜, 雨聲孤寺秋之句, 逐字爲韻, 述懷十絶

夢遊千載黃虞遠, 眼看九垓禽犢溷。
笑殺刑餘一病夫, 聽天安命復奚怨。
問爾牀茲流矢躄, 緣何海曲爲生客。
休言生客太辛酸, 試看驚瀾多折拍。
永夜悄然無寐坐, 回思往事膓如剉。
縱教頂上鐵輪旋, 一息猶存疇得挫。
髮何已短心何長, 魂夢時時過瀋陽[16]。
健鬪諸君無恙未, 空令蹩躄獨徊惶。
九宇竄竄方大夜, 獸嘷鬼嘯令人怕。
跼天蹐地將安歸, 有耳還聾有口啞。
旅燈悄聽黃花雨, 堪恨光陰催不住。
寄語悠悠自誤人, 一生努力宜隨遇。
何樂何求尙苟生, 生憎宛轉語尸聲。
我家三尺訂頑訓, 憂戚無傷玉汝成。
萬山深處一庵孤, 飮水眠雲亦足娛。
病榻常如泥塑坐, 居僧呼我幼安徒。

---

16 심산 김창숙이 독립을 위해 중국으로 망명했을 때 심양(봉천)에 들러서 삭발을 하고 화복으로 변장하였다. 그래서 종종 꿈에도 심양이 보인다는 시구는 바로 중국에서의 독립운동을 떠올린다는 뜻이다.

風萍偶轉窮山寺, 毿毿孤踪愧苟寄。
吾祖寬邁在考槃, 迢迢川陸空翹跂。
風簷盥手讀春秋, 示我周行愼厥修。
欲識丈夫眞偉業, 求仁弘道蓋棺休。

挽金一松東三二絶

(嗚呼, 一松先生, 遽不于此世耶, 躄翁金愚, 痛哭于東海山中, 百身之淚, 只此數句, 悲夫。)

公在鯷山重, 公歸滿洲空。
却將雲雷志, 斂去一木中。
公去知已盡, 宇宙廓然空。
我生生何樂, 狂號海窖中。

追悼鄭乃益[17]守基五絶

熱血鯷疆痛哭年, 壯圖鵬翮擧翩然。

---

17 정내익(鄭乃益): 이름은 守基이며, 베이징대학 재학중에 심산을 따라 독립운동에 헌신한 사람이다. 1927년 김창숙이 중국에서 한국으로 압송되어 대구 감옥에 와 있을 때 정수기도 그곳에 투옥되었다.

同風一日摶西去, 橫斷幽燕萬里天。
回憶金坮傾盖時, 看看溫玉燁然輝。
老夫不讓他山石, 深喜終携大器歸。
歲寒留約許偏深, 愈久愈牢直斷金。
我識君心丹一片, 難將水火可鎔沈。
達城犴裏士如雲, 萬口先推乃益君。
夕下巫陽緣底促, 空令瘀躄哭荒濆。
聞說君歸視不瞑, 英魂寂寞泣佳城。
城頭忽見長虹起, 認是當年烈烈精。

戲用俛宇先生頭流山詩韻, 贈車君兼仲

我生培塿苦卑湫, 常懷御風上嵩華。
豈期十載邯鄲客, 匍匐歸來竟傺侘。
空敎半死老躄子, 偃臥海曲山僧舍。
海山崚嶒千仞屹, 時見白雲縫岩罅。
山深境寂宜養病, 笑殺塵羈未全卸。
邂逅道侶車兼仲, 相携剩得優遊暇。
聞君夙有雲遊志, 爰戒長風騄駬駕。
披盡頭流太白勝, 鷄龍楓岩取次逕。
興闌逐尋含月歸, 翛然矢與塵臼謝。
却抛烟火口不飧, 靜聽岩泉枕下瀉。

悠然見山坐如塑, 猿鳥相隨不驚怕。
潛心愛讀牟尼書, 讀過千遍不肯罷。
足目俱臻淸淨界, 還笑浮生摠幻假。
營營富貴知何物, 自是曇花一現乍。
咨爾饕餮自誤人, 何如恬靜學啖蔗。
不向人間問一事, 何憂湠穽與淺擭。
不問山外走一步, 何憂百歧與千跛。
時抱瑤琴歌月下, 山翁野老欣相迓。
時携藜杖嘯雲間, 飄然仙袂若羽化。
冠屨倒置今何世, 悅卿淸狂莫相訝。
由來峽俗頗淳朴, 有人踵門呼老爸。(蔚山鄕俗, 泛稱年老者, 爲老爸)
爲言近日東颶急, 狂瀾方湧環溟汊。
蒼黎俱在漏船中, 船中況復無梯架。
回看全陸亦隨沈, 碧眼紅毛雜啾啞。
粉粉逃竄鳥獸羣, 安開華氈與廣厦。
顚沛流離不足恤, 最怕蜮弩含沙射。
羶風醒雨長黲黮, 任汝鬼物姿喧罵。
天摧地塌大淘汰, 任汝桀黠爭雄霸。
是時兼仲長太息, 顧我潸然涕雙下。
慇懃邀我上白楊, 許我雲林一枝借。
憐我老醜已無間, 欽君忠信不自詑。
從容隨事叩義諦, 未始嫽婀或橫跨。
時時捫簟問寒燠, 亶由衷赤絶回詐。
時時慷慨敷肝腎, 方知樂善若嗜炙。

亂代坎壈奚戚戚，好將青萍歛却欛。
岩栖已與駿機息，何物椰揄敢弄吴。
試看珠藏澤自媚，肯與時賢枉衒價。
鵷雛何曾飢啄鼠，休恠頑鴟或仰嚇。
我愛兼仲猶愛妻，一蛩一蟨聊相藉。
請君莫恨生不辰，皓天必返時行夏。
會待槿園賞花節，與君歌舞聯征靶。
但恨平生黥刖深，白首難追噬臍麝。
相將賴有人如玉，維駒空谷以永夜。
多君慧眼軼文暢，踈慵愧非昌黎亞。
縱然儒釋自殊歸，相愛相期豈終詐。

戊寅元日述懷

淪落天涯未死身，居然三見白楊春。
痴魂每越遼山外，歸夢常驚洛水濱。
北陸京觀群鬼哭，南荒鄉俗大儺嗔。
問爾守堂長臥鼈，非尸非佛此何人。

次韻李璇七自萊州寓所撤歸石川故里有感

棲遑幾歲憶先廬, 況復寰球倒裂初。
皓髮還憐榆景晚, 巇途漸覺世情踈。
居幽可愛朝看鹿, 取適何傷夜打魚。
堪喜兒孫瑤珥列, 慇懃分付課詩書。

病甚示家人

我病何太痼, 我生何太頑。
生無可桴海, 死無可埋山。
我死將我骨, 不宜留塵寰。
一炬飂烈風, 殘灰付清灣。
我生不佞佛, 我死肯諛蠻。(佛與倭皆火葬故云。)
願從溥松子, 飄然游兩間。(溥齋一松俱火葬故云。)

挽安島山昌浩六絶[18]

歎息關西五百齡, 枉教豪傑泣冥冥。
風雲會送奇男子, 八域兒童誦大名。

柒齒新驕屋社秋, 扁舟嘔血夏威洲。
定知救國先興士, 牛耳崇壇殿楚啾。(公嘗渡米洲, 與同志謀光復, 倡興士團故及之。)

黃羊三月萬雷鳴, 群蟄皆驚自決聲。
大會春申推領袖, 一時輿望屬先生。(己未, 國人以民族自決主義, 宣言獨立會于上海, 組織臨時政府, 推公爲勞働總長。)

顚沛風霜十載餘, 君鬚我髮白紛如。
那時竟墮揶揄手, 同戴南冠淚滿裾。(余與公同苦于上海北京之間, 後又繫于大田獄中。)

南遊去歲唁窮廬, 有淚無言握手初。
襞積肺肝輸不盡, 臨岐惜別九回車。(公尋訪我於達城病榻。)

邦讎未復岱遊催, 浿上西風巷哭哀。
嶺表病俘頑不死, 百身難贖若爲懷。

---

18 김창숙은 도산 안창호와 상하이와 베이징에서 고생을 같이 하고 또 후에 다시 대전 옥중에 감금되어 있었다. 안창호의 죽음을 서러워 하며 지은 만시이다.

次權舜謙相益見贈韻

何來明月上郵亭, 兩地流通一片靈。
遼東白帽誰會戴, (管寧, 當曺魏時, 避地遼東, 後歸魏而死, 余與寧, 跡雖小異, 而死於此地, 本非吾志, 故引以自傷也)窓北淸風爾獨醒。
從人肯學墦間飮, 敎子應堆篋裡經。
遙想三溪祠下栢, 銅柯無恙自靑靑。

挽李萬壽[19]鳳魯八絶

翩翩冲雲霄, 昂昂汗血驄。
壯圖違少試, 痛哭我辰窮。
義重膝難屈, 勇過目不逃。
桁楊寧慽慽, 談笑動圜牢。
黃河無消息, 嬴博有老人。
君去漆燈下, 英眸憤淚瞋。
哀我囈塵土, 羡君游玉閶。
知應訴上帝, 一怒安鯷疆。

---

19 이만수(李萬壽)는 베이징대학 재학생으로 정수기(鄭守基)와 함께 심산을 도와 독립운동에 활약하였다.

昔余遊異域, 幸子托同袍。

珍重忘年契, 不辭調藥勞。(余在北京, 嘗病臥甚危, 君日夕來視, 因躬自煎藥, 數朔如之, 無倦意故云。)

雪涕論心夕, 駢肩何校時。

誓同生死語, 不許別人知。

此世無知己, 吾生若附疣。

問君靈炯炯, 能識我哀不。

大哭歌虞殯, 倀倀欲發狂。

病夫行且死, 泉下好相將。

挽盧誠之仁

昔余始見君, 東市初下里。(北京東城縣市, 有文丞相祠, 即文山遇害之地)

高唱正氣歌, 慷慨誠何似。

擧杯忽大哭, 敬誄文山氏。

誄罷仍扼腕, 滔滔談名理。

滿座皆愀然, 嘖嘖稱豪士。

嗟君去無踪, 倘追蹈東子。

寄贈華山友人

我懷我友生, 嶺表一千里。
邇來風雨惡, 興居問何似。
天運君知未, 爭頌莫斯氏。
尼父千載人, 無從叩眞理。
語黙均是罪, 難爲今世士。
華山深復深, 寧隨希夷子。

病枕無寐憶白凡齋[20]二公

白凡化爲兕彈鬼, 丹齋去作修文郎。
獨憐心山老躄子, 六年臥病三角陽。

20 白凡 齋二公은 바로 백범 김구와 단재 신채호를 말한다.

病夫[21]

病夫非是苟且生，豈科經年繫達城。
母死兒亡家已覆，妻啼孀哭夢猶驚。
崎嶇朽得逃何樂，慷慨天详死固榮。
福禍窮通元有命，病夫非是苟求生。

---

21 이 시는 감옥에서 고통을 받으며 자신의 독립에 대한 굳은 의지와 절개를 나타낸 시다. (『독립시가집』, 송산출판사, 1984)

김택영(金澤榮)[22] 편

【己未稿】(1919년)

爲曹仲謹 題其弟子所新建鼎山書室

聞道玄亭侯與桓, 講廬新築倚巑岏。
地崩天破師生在, 竹密花深几格安。
泉石武夷今有主, 鉢衣天竺定多歡。
仙扃一閉三千歲, 好待爐中熟大丹。

---

22 김택영(金澤榮, 1850-1927). 자는 우림(于霖), 호는 창강(滄江), 당호는 소호당주인(韶濩堂主人)이며 경기도 개성에서 출생했다. 그는 강위, 황현, 이건창 등과 함께 한말사대가로 통칭되는 문인으로 한국 한문학사에 주목할 만한 작가중의 한 명이다. 『한국역대소사(韓國歷代小史)』·『한사경(韓史綮)』·『교정삼국사기(校正三國史記)』 등 저서를 남겼다. 시문집으로는 『창강고(滄江稿)』와 『소호당집(韶濩堂集)』이 있다. 을사조약으로 국가의 장래를 통탄하며 1905년 중국 장수(江蘇)성 난퉁(南通)으로 망명하여 중국인 장첸의 협조로 출판소의 일을 보는 것으로 생계를 유지했다. 1927년 사망할 때까지 23년 동안 중국에 체류했으며 중국의 계몽사상가인 량치차오(梁啓超)·장핑린(章炳麟) 등 많은 문인들과도 교유가 있었다. 중국에 체류하면서 14번이나 자신의 문집을 출간했으며 이 중 전집의 형태를 지닌 문집은 6차례 출간되었고 사간본인 『合刊韶濩堂集』에 한시가 가장 많이 수록되어 있다. 전문도서출판자답게 자신의 문집을 철저하게 시대순으로 정리하였다. 본 한시집에 수록된 김택영의 한시는 문집총간에 정리되어 있는 김택영의 『韶濩堂詩集』총 6권과 『韶濩堂文集』정본 15권,『合刊韶濩堂集補遺』2권,『韶濩堂集續』5권,『韶濩堂集借樹亭雜收』4권,『韶濩堂續集』에서 1919(己未)년부터 1926(丙寅)년까지의 한시를 가려내어 수록한 것이다.

題河叔亨龜岡精舍

一縛經書萬古心, 頂門遙乞考亭針。
風燈大刦君何與, 自有如來不壞金。

龜岡何似翠微山, 氷叔高情鉄索攀。
弟子讀書聲碎玉, 天風吹雜水潺潺。

寰中雜教莽縱橫, 六籍將看墜大明。
可感如蝸精舍底, 太山擔荷兩肩頳。

寄張順侯(三首)

我不好爲師, 君何師我爲。
記曾煩一喝, 詩品對論時。

流年到七十, 萬事都如夢。
猶有愛才心, 想君珊筆弄。

君旣不能南, 我又不可北。
年年草綠時, 無忘報消息。

韓主事永福自燕京寄書相問 感舊有贈

一片春風萬里潮, 吳江江上望河橋。
誰憐南北相思客, 曾是前韓國史僚。(全之爲史官。君以下僚佐務。)

燕南歌筑酒壚邊, 弊褐行吟已幾年。
知是千金皇甫帖, 一時零落減雲烟。(君工於書。得歐陽詢法。)

慶會樓前十頃荷, 荷邊筆硯對編摩。
合歡半歲鈞天夢, 無奈罡風打破何。

夷甫諸人算廟堂, 吾曹安足問興亡。
東風又見尖尖草, 不見王孫返漢陽。

酬陳生修定毓審

日午聞剝啄, 陳君來贈詩。
詩辭盛推引, 若將撤皐比。
余豈敢當此, 子實崇謙卑。
看君淳古氣, 畎畝奮起奇。
濛濛石中玉, 燁燁林際芝。

雖不識一字, 自足爲可兒。
况乃具雙美, 簡編不停披。
顧余老廢咏, 如蟬在寒枝。
腰腹慘不動, 秋風空自吹。
何以答厚意, 邑邑增中悲。

送修定歸絲漁港

陳生家臨揚子江, 門外白鷗飛兩兩。
當此中秋明月時, 江光月色相摩盪。
橫波白露浩如海, 隔烟青山驚似魎。
殘楓敗荻半折蘆, 一一奮葉風前響。
屈宋李杜諸古魂, 騎鯨驂虬紛下上。
陳生吟弄不勝興, 走訪老夫呼丈丈。
木蘭之舟有居處, 楚竹炊飯有供養。
東家漁客西家樵, 左扶右護有吾黨。
何不與我同去遊, 百篇留作千人賞。
此江久無好風流, 徒然商船日來往。
聞之啞然笑撫掌。
君曾見否黃河之水倒流上崑崙。
殘年七十非疇曩, 世間好事付少年。
願君自愛自健, 毋使前人獨作五湖長。

八月一日 嗇翁以余七十 置酒城西觀萬流亭 招而壽之始嗇翁欲壽余 而詢及生日 余有所感不以告 翁曰 八月一日 吾當壽子 余曰 必用八月何 曰 君之生不可知 弟可用八以祝八十 余爲之大笑 至期果有是擧 崑山方惟一,張景雲 如臯管石臣 本縣曹勛閣皆在座 而翁之子孝若 亦與焉 翁出二律屬和一座 旣歸用其韵和而謝之

一斗名醪兩齣歌, 兼招詞客佩聲磨。
飛甍綺閣波中出, 欹倒秋花席際多。
我自昏昏忘甲子, 君何苦苦念風波。
提携欲向滄洲去, 折贈仙香太乙荷。

龍鐘馬齒謾峥嶸, 把酒風前笑幾聲。
萬里萍浮唐閘水, 十年雲蔽漢陽城。
補天莫借媧皇術, 裹飯惟餘桑戶情。
他日若傳今日事, 人間此亦一長生。

周方伯子迪挽

華顏如玉髮垂銀, 篤厚風流更出倫。
福建吏民歌憇樹, 共和天地作閑人。
窮廬何日勤相訪, 佳傳千秋幸托因。
衰病未持棉酒去, 長河楓荻愴蕭晨。

贈張景雲

吁嗟江南張景雲, 風雅痼癖誰能羣。
往往搜句入醋甕, 句成長吟顏色欣。
葱珩赤芾儀棣棣, 木蘭桂樹香紛紛。
遭逢亂世貧且賤, 驚如大玉三日焚。
嗇菴老子金色臂, 援置一宮浴蘭芬。
圖書萬卷與作粮, 名香千炷與作薰。
臨風粲然笑謂我, 得士何減燕山勛。
青梅春酒可多釀, 英雄寧止操使君。
方今佉盧字持世, 瞋目不見韓歐文。
以君之才豈安小, 竿頭進足宜其勤。
我生愛才有天性, 年今垂死猶云云。
君亦攻吾勿赦老, 美酒不到劉伶墳。

贈鄭澤庭

名山都未問中華, 老脚摧殘似帶枷。
一種奇緣誰所使, 二年三度到君家。

崎嶇世路飽風霜, 失喜逢君錦繡腸。
可是此腸無報應, 名園花竹卽天堂。

次八卦亭贖修韻爲宋秉直作

大老遺居厄幾年, 賢孫一贖萬人傳。
遙山得得朝窗面, 病竹蕭蕭響砌邊。
何似汶田歸魯國, 怳如易傳出伊川。
聞來增起南冠恨, 輸與羣英撰述先。

寄贈從姪子德光潤

監察公之業, 扶持信爾才。

富雖無北阮, 孝可接南陔。

風送千言札, 春還一夜梅。

晶兒亦吾肉, 一氣泝先胎。

謝錢浩齋餽橘

右軍書後三百易, 浩齋包中五十難。

同是后皇嘉樹物, 貧交之贈逾多歡。

十月望生日 岳婿夫妻 同其內外族戚來壽七十 走筆志懽

吾婿眞能解愛翁, 生辰來勸樂融融。

秈糕蠟燭黃花外, 玉佩雲鬟曉霧中。

罷病一身奚得幸, 刦燒千劫任成空。

五加皮酒須頻酌, 此物偏知愈我風。

修定 以猪酒來壽 賦以謝之

袖角霜痕濕曉天, 疾驅來趁掛弧筵。
三升綠酒從君酌, 十月黃花爲我姸。
叔寶膏肓須自診, 瞿曇衣鉢豈無傳。
飛騰千古文章事, 擧祝深深答祝年。

題李持平石川亭 用其舊韻

碧雲東望天一涯, 石川亭子飛簷牙。
緬昔竹翁薑桂性, 手折大角驚兵衙。(李公爲兵曹正郎時 忤長官棄官歸)
言辭濁世棄朱紱, 長傍隱人咏蒼葭。
周變東岡右軍墓, 千秋合傳付史家。
風流消歇百餘載, 賢孫薫盥揚辭華。
書函四出促賡和, 誰不濡筆興咨嗟。
我聞川邊多勝景, 蒼岩三疊如龍挐。
碧玉一帶嘉陵水, 紅霞千樹桃源花。
安得揷羽乘風去, 公魂招招雙手叉。
仍向賢孫索美酒, 醉遊十日聯巾車。

悼張景雲

怪君近日亟求詩, 果見曇花一夕萎。
可是老蟬殘蟋語, 救湮能似峴山碑。

皚皚雪色何方紙, 是君當日索詩資。
殘餘取寫哀章去, 慘慘黃花欲凍時。

遙題費範九澹遠樓

綠水平潮古市頭, 鹽喧米閧簇商舟。
書聲忽落天風外, 知道先生澹遠樓。

臥龍夫子奮經綸, 只是當年一澹人。
千載瓣香遙拜處, 可憐樓角倍嶙峋。

謂余述作異巴歌, 翰墨林中快印過。
誰識夫君腸肚裏, 黃金熱淚本來多。

瓜皮艇子載芳醪, 泝月長河度幾橋。
此約病中渾負却, 蠟梅零落雨瀟瀟。

慰黃仲懷, 俶禾二棘人己未[23]

有雙孝兒號路側, 哀聲滿天黃日昃。

昔父之喪兮兒貧役江南, 今母之喪兮又在江之北。

有耳不得聞末命, 有手不得奉床簀。

兒罪深重兒自知, 神明允宜誅且殛。

請君收涕聽我言, 漭然大界本來缺。

齒角奪予紛無常, 冰炭喜懼又誰測。

子之父兮享七十, 子之母兮又加十。

有子多如陶淵明, 滿庭森森立修竹。

世間幾人能似此, 母兮母兮儘多福。

且須念此少自寬, 吾饘爾粥交勸食。

戮力共治家人業, 年年歲歲祭豐潔。

23 己未:1919년을 가리킴. 『韶護堂集續』 卷1 補遺에 己未작이라고 밝히고 있다.

【庚申稿】(1920년)

上巳日 嗇翁招飮觀萬流亭 旣飮 令所建伶工學社童子數十人唱歌 作詩促和 歸後用其韵和之

河心八角孤亭子, 與汝相遭又此辰。

晴日似誇名節候, 好花偏作老人春。

靈童箇箇疑天藝, 橫吹聲聲動水神。

詩令如何相厄甚, 裌衣沾汗策衰身。

寄蘇堪爲文壽峰崔寄園乞字

渾脫行書風韵優, 公孫劍器與橫秋。

石覃(石菴覃溪)諸老如相値, 怊悵應須讓一頭。

楚弓楚得未爲奇, 好向鷄林俊彩馳。

從古鷄林人痼癖, 弓衣貪繡白家詩。

贈王孟毓兆麒

閉門終日斷經過, 兀兀長吟雜短歌。
試問樑間春燕子, 當年烏巷事如何。(君之先世 多有宦業故云)

百折鋒鋩尙宛然, 龍光夜射斗牛躔。
求書問畫風流事, 幾度黃金散似烟。(君致余書潤甚腆故云)

聞孫兒晶基堂姪主事光爀之子 子是取嗣光續至錦州 时光鉉住此地喜賦

預喜他時盛, 焉追往者窮。
程籌頻借問, 何日到南通。

石又新, 邵大樗二少年攻詩之暇 共學琴於徐立孫 一日相與携琴過余 各操一二弄 作此謝之

翩翩二妙共携琴, 奏曲工於女手纖。
欲報裒賜詩已涸, 天河安肯與濡沾。

謝慕逸仕選以五律二首見贈 率和

雷霆六代謝玄暉, 鳳翥龍騰俊逸詩。
今日有君能復爾, 令人怊悵羡家師。

爲劉弘遠漢淳和其大人小心齋翁新築雙岩亭詩

何處雙岩落, 新簷腋護雄。
溪淸魚弄日, 山古鶴鳴風。
卜業同摩詰, 賡吟有阿戎。
若爲相訪去, 剝啄月明中。

雜贈翰墨林書局諸少友

王世祿(爵)
淡淡唐溪水, 其中有明月。
君心我知之, 與彼長映發。

高廷選(濟中)

高生數馬足, 人言能飮酒。

飮酒亦何術, 紅潮不曾有。

馮右書(達銘)

綴文睨古人, 奇君胆能大。

會看紫琅山, 一夜雷擊破。

郜家模(範吾)

老人羡年少, 非君之謂歟。

玻窗花影畔, 棉手倣顔書。

爲範九題其大父德宣翁松下對月圖

彼胖之叟貌魁梧, 何年鵬駕借痲姑。

園中百卉亦無限, 松陰來憩胡爲乎。

世人不知月獨知, 慇懃相照臨天衢。

滄翁心醉欲與語, 逼向前來頭觸圖。

嗇庵參政爲退翁七十 招鄕老讌南公園 名曰觀千齡會 作絶句八首紀之 奉和

我嘗經七十, 七十無奇特。
但能自活耳, 於人無所益。
苟不益於人, 曷不謂之賊。
觀公壽阿兄, 耆招傾隣局。
預築一層樓, 彩影落漪綠。
鳩笻續續登, 齒坐何穆穆。
恒沙數其年, 大畧四千曆。
盈盈黃花酒, 祝齡手親酌。
東酌安期生, 西酌東方朔。
南酌沈侍郎, 北酌李八百。
北斗諸星君, 震動下寥廓。
高唱白雲謠, 廣樂隨大作。
河中老大蛟, 起舞呼其族。
鼉鼓不撾更, 似惜良夜色。
愛兄以及鄕, 愛鄕以及國。
居然一樓中, 四海同壽域。
周老徵饋養, 洛英謝官閥。
壽術豈不古, 壽情豈不悅。
而我來忝列, 前羞幸藉滌。
飽德復飽德, 感歎知何極。
衆耆欲歸乎, 我醉難速出。

贈馬小村

小村生長桑麻中, 二十八宿羅其胸。
有時興來歌咏發, 震撼林澤驚漁農。
昨來語余水龍事, 救災一念憂忡忡。
水龍水龍彼木龍, 小村小村此人龍。

錢浩齋送舟 要同游鄭澤庭半嶼園 余以感疾未應 述懷寄二君

扁舟喚送縣西門, 要我同游半嶼園。
絶想因風相憶地, 黃花步繞百千番。

黃花如此犯寒開, 我獨噤寒不能去。
千聲落木鴈百行, 遙望蒲河東轉處。

嶼園主人如玉金, 嶼園美酒如海深。
此人此酒嗟負負, 五夜不寐看橫參。

哀周晉琦

小同見我大聲哭, 可知我非等閑客。
君胡爲乎捨此客, 一去茫茫無返日。
君詩綽有正始風, 塡詞尤繼髯秦工。
寄語南通諸少輩, 江山從此其奈空。

【辛酉稿】(1921년)

贈陳保之邦懷

噫君莫嗟嬰目疾, 目疾何足病君身。

但使妙明在心裏, 觀音千目非他人。

卽今中州文運歇, 緊誰奮臂扶厥輪。

深深一語與相贈, 江柳江梅無限春。

去年 陳修定見余孫晶基愛之 請以其女作配 余感而諾之 三月十三日 行納采禮 錢浩哉, 費範九二君爲之作媒 作此謝之 兼屬修定

靑靑楊柳運河隈, 飛舸晨裝玉鏡臺。

誰謂貧家婚事拙, 彌天名士作來。

彌天名士作媒來, 爲是陳家父有才。

傳語急將斑管和, 長江春浪鬪喧豗。

題陳元基西伯鈞園二十咏卷

凋殘老脚沒行遊, 笑我南通作一囚。
對卷空如方丈畫, 何時得載李膺舟。
岩花映几羣書靜, 海月當樓一笛遒。(西園 有假山及藏笛樓)
傳語爲王南越者, 衰衣爭似此羊裘。

送陳大令, 劭吾惟彥歸如皐

河之舟載翁去,
恨我不能同載如林宗。
此翁不是尋常客, 元代余闕之遺忠。
雲臺勛名不入夢, 晦菴經訓長銘胸。
詔汝河神勤保護, 呵禁風雨鞭蛟龍。
年年安穩來遊此, 春風秋月長相逢。

曹公亭歌 爲費範九作

往者萬曆倭寇東, 韓臣有李忠武公。
奇韜妙畧似神鬼, 殺倭滿海波濤紅。
當時倭兒患瘧疾, 背書其名勝藥功。
三百年後漢江竭, 修羅蝕月凶腸充。
使我奔伏淮之側, 白頭欲擧羞蒼穹。
奈何今日中州彦, 籧篨之病頗相同。
慨然共思曹壯士, 沫血擊賊衛南通。(明時南通曹頂擊倭馬蹶而死)
奇功垂成身徑殞, 憤氣化爲青色虹。
叱工築亭安厥像, 横刀立馬生長風。
請君且攬新亭涕, 與我賒酒向新豐。
一盃酹我李兵仙, 一盃酹君曹鬼雄。
巫陽與招魂氣返, 旗光劍色摩虛空。
雷皷皷動兩國氣, 人間何代無勇忠。

九月 安總長昌浩念余衰老 携牛肉來餉 談次道及尹次長顯振之夭 旣別作此寄之 因悼尹君

秋風握手話曾經, 澆恨催呼濁酒甁。
却算夷吾身尙健, 底須孱淚灑新亭。

妙歲清標鶴立秋, 記曾同臥鐵床頭。
皇天忽奪周郎去, 將把何言唁仲謀。(君年似周瑜故云。)

聞鴈

單床無寐數疎更, 飛鴈何來一再鳴。
有信人間誰似汝, 盡情天外弟隨兄。
白蘋洲上西風急, 畫角城頭北斗橫。
七十二年年又暮, 那堪回首問春鶯。

開城文筆峯僧人謂之極樂峰謠

天磨山斷處, 萬丈文筆峰。
猶之大羊筆, 新染墨汁濃。
正當開城東, 如雲擁神龍。
黃鶴欲飛上, 仰視愁尖鋒。
廬山之五老, 驚倒折芙蓉。
元氣歸何處, 首生益齋公。
東邦三千載, 蔚然作詞宗。

繼以車復元, 及夫韓景洪。
落落崧岳子, 彬彬堯泉翁。
近世李鳳朝, 胚胎亦此中。
誰將枯禪義, 異名以相蒙。
請帝奮長箒, 快掃付飄風。

贈江有麐

驚君仙骨墮烟塵, 大似珠沉赤水濱。
罔象搜來知有日, 且須抱月葆精神。

寄金參奉元培兼贈林主事晃植

韋馱尊天修梵宮, 海石散人刊書籍。(君刊堯泉集)
梵宮之修媚一佛, 刊書也爲萬人益。
此人品格豈易得, 願言同上長江舟。
乘月買取醪一石, 亦有風流林子明。
騰騰伴行腰玉笛, 人間共笑蒸梨客。

十月二十一日 往上海勞省齋李公始榮 公爲之置酒 其老友朴白菴殷植 僚佐朴贊翊 趙琬九申翼熙及從遊士黃中顯諸君子皆與在座 旣歸感賦却寄

瀛堧奇人兩短李, 昔有梧里今省齋。
丹唇白皙天人骨, 蠶絲謀猷氷玉懷。
東天望望國何在, 長白孤根嗟已頹。
太師欷噫綠雲裏, 忠武憤怒南海涯。
三年會稽嘗胆地, 犀甲三千感式蛙。
疾風之吹知勁草, 不然何以見公才。
行當手把白羽扇, 橫騎天馬馳天街。
金星赤角摧折盡, 頑霧仍喝飛廉開。
萬古歸來此一時, 萬古慷慨此一盃。
正須鯨飮催昌運, 孱哉誰賦江南哀。

謝錢浩哉餽米

魯公乞米方得米, 今我不乞米自來。
問何人作此好事, 白蒲長者錢浩哉。
浩哉居貧念我貧, 種種布施非一時。
恐我苦守蚯蚓操, 有時設方以相欺。

近來乞人子貸金，開廠春玉謀得財。
所得不過秒與忽，胡又發出大慈悲。
江南雲子第一品，餉之又餉至三回。
稚孫飽唱學校歌，病妻起窺玻鏡臺。
砌前時菊三四本，欣欣亦向寒風開。
老夫之貧今得救，浩哉之迂將孰醫。
蔘朮針灸所不到，天生肝肺有如斯。
叢叢荊棘一天地，噫乎奈彼羣生哀。

謝丁茂才鳳泰贈錦枕

谷城丁茂才，其人異凡類。
謂余可以交，貽書數百字。
從以一錦枕，絶妙宜於睡。
余豈石人哉，每臥必縈思。
彷彿覿儀形，玉肌星目眎。
宴坐竹林中，左右書鱗次。
時復發孤吟，江山增綠翠。
方今舟車制，人間無遠地。
儻能惠然顧，豈不欣把臂。

寄題權景韶鳳洙所居芝村書堂

芝川川上一茅菴, 日夕書聲出竹林。
爲是昔年游歷地, 夢中容易去相尋。

春柳形軀秋水神, 文心一片鏡無塵。
鳳城諸子能知否, 大有梅泉附傳人。

謝申總長圭植西曆新年之問

聞風餘十稔, 接札若千金。
不有撑天節, 那懷愛物心。
漢墟春草進, 華席(指太平洋會議)海雲深。
孰使南冠者, 殘齡返故林。

追謝雩南李公求拙著

臨敵而閑暇, 方能戰勝敵。
所以執榼飲, 千秋垂史册。

瑣瑣覆瓿物, 公求我加額。
他日沼吳事, 何煩問龜策。

謝退翁歲饋

每臘老人饋老人, 今玆之饋人愈老。
人愈老兮情愈深, 根荄爭奮河畔草。
書而嗅之頗芬香, 大笑報道新詩好。

【壬戌稿】(1922년)

光鉉偕孫生應天得和至 喜而賦贈 幷及孫生

落落吾家千里駒, 輕金重諾笑凡夫。
幸哉遠道來無恙, 使我夕餐加半盂。

伊昔仙岩孫老子, (名有爽)雲烟筆墨接蘭亭。
仙輧一去蓬山後, 尙有佳孫近典刑。

光鉉道其友李丹宇容汝卜居之佳 急人之美 且道其嗜玩拙著 感而有贈

聞道前韓李亞卿, (軍在韓時 爲從二品侍從官) 駱峰亭子拓先營。(君因先人遺廬而拓治之)
圖書堆畔秋花亞, 山水光中夜月生。
漢署含香何日夢, 桃源作記古人情。
江神倘送嵇公駕, 散髮同聽欸乃聲。

黃金百萬散如烟, 幾許窮人與沃咽。
金谷石兒慳吝甚, 腹中無賴貯詩篇。

萬間廣厦庇寒凉, 長句多應和草堂。
聞否會稽山一曲, 三千越甲飽風霜。

屠敬山挽

當年傾盖樂新知, 况是牙琴値子期。
惹得傍觀驚欲倒, 萬宜樓上劇談時。

奎星匿彩玉揚灰, 凶信聞來失酒盃。
拙著傷心披不得, 行間幾處見魂回。

賀鄭澤庭生男[24]

晩子君家喜事新, 金丹遲熟轉靈神。
呱呱莫作嬰孩視, 半嶼園亭好主人。
雌風幾度歎輸棋(隨園生女詩曰雌風吹不淸,又曰棋輸刦屢驚), 驀地祥雲繞繡幃。
知向雙成含笑語, 今朝湯餠夢耶非。
非玉非金亦玉金, 賀書江北達江南。
飛光百步於菀眼, 披褓看來日再三。
商瞿晩境四男兒, 幷美千秋妙揲蓍。
半嶼園中紅綠樹, 春光從此倍前時。

---

24 임술(壬戌)년에 게재된 한시 18수는 『韶護堂集續』 卷1에 수록되어 있다.

壽陳烟致明六十

孝弟力田厥科古, 翁乎何嗟作農父。
堂上母如謝自然, 膝下兒誦韓吏部。
腹既不枵倫亦備, 况兼年窮花甲數。
門前黃麥長似人, 桑葉翳翳經新雨。
淸晨設席對風光, 一庭斑彩呈萬舞。
玉笙吹來海月昇, 瓊章披去江花吐。
更聞此讌出補設, 孝兒深誠尤可取。
唐堯辭壽壽終辭, 翁也辭壽辭還補。
誰知揚子江上農, 醉笑唐家天子苦。

留別半嶼園舊客吳子餘敬菑, 錢愼儀之典

冷落園亭半欲蕪, 主人何處放雙鳧。
山留水挽千重意, 多謝樽前舊灌夫。

賦李孝子 仁植 事

圓顱方趾總人兒, 父母深恩詎盡知。
晉代王公曾致雀, 洪城李子此探鱺。(李於冬月 得此魚供母.)
天壇夜月群靈衛(李於母病, 爲壇祈天), 湖水春風故老悲。
縱我衰殘詩可已, 長淮分入硯南池。

送劉翁友三錢君愼儀歸白蒲 兼屬浩齋

錢郎風義程嬰氏, 劉老高標龐德公。
恨未扁舟同載去, 爾鳧吾鴨水雲中。
九皐家裏第三郎, 使我忘年共上床。
誰識蒼蒼寰宇內, 德星偏照小蒲塘。

梁任公 啓超 至南通 余訪見之明日有贈

自顧形容我是誰, 弊冠霜雪老鍾儀。
一朝歡喜逢名士, 千古歸來有此時。

泰山文望昌黎民, (君之文字 要爲今日中州之冠故云) 澤潞兵談杜牧之。
聞做共和猶未做, 乾坤俛仰且停卮。

爲費範九賀平潮關壯繆廟落成

虬髯隨怒颯飛揚, 太白廉貞下劍鋩。
大義春秋三反覆, 英名天地一低昂。
荊州勝敗何庸問, 炎漢精神尙不亡。
感激平潮諸父老, 年年含涕薦馨香。

馮子久 善徵 挽

我雖於君只一見, 一見多於千見多。
聞之平潮費範九, 君讀吾文喚奈何。
銅山靈鐘非異體, 一月幷照東西波。
西風一掬知音淚, 洒送文魂過絳河。

爲朴直員 在善 題其大人鐵山康翎二郡政績卷後

吾友朴康翎, 溫恭本無過。
出爲百里政, 三冠殿最課。
嚴閫屛賂賕, 散俸蘇饑餓。
刷租剖訟外, 終日但淸坐。
憩棠士爭頌, 歸轍民有臥。
有兒能讀書, 厥蹟收不惰。
謂余是父執, 遠投覊寂破。
韓季多貪吏, 萬姓困燒剉。
昏衢一片燭, 光明豈不大。
梟鷴滿天地, 鳳鳴誰不賀。
感歎爲此詩, 庸助芬芳播。
萬古鐵康地, 行人應不唾。

八月月十一日 訪修定於絲漁港

風帆片片打門回, 萬里江天一笑開。
只爲江天如此好, 衝烟衝雨訪君來。
平生性好在江村, 帆影魚香總引魂。
奇絶紅桃三萬樹, 絲漁港是武陵源。

野中記見

村翁小舸裝鳧重, 溪客長芟縛蟹纛。
八尺過頭青竹杖, 我行參作野中圖。

汪晴軒七十壽詩

晴翁小少耽書史, 頗豔博學宏詞科。
一朝忽向書發罵, 安能因汝成蹉蛇。
出門直向衢市去, 物情萬變觀如何。
賣菜賣醬與爲伍, 呼牛呼馬都任他。
珠藏劍埋四十年, 大似浮湖之范蠡。
屠門豪客時相遝, 揮金大嚼豚鷄鵝。
贏餘亦復散如雨, 凍戚饑朋洗怨嗟。
外商術巧內商拙, 方今大憂在國家。
以身作犧救國憂, 如翁之賢易得麽。
嗟乎翁老良可惜, 我祝而酌金叵羅。
願翁七十勿自足, 古人過百亦頗多。
願翁康强俟國泰, 黃河有時變淸河。
況復孝兒與賢抱, 供歡爭揷秋桂花。
翁乎寧能卽嗔喝, 此酒此酒毋辭酡。

重陽日 嗇翁要同游東奧山莊 余以腰痛未應 作詩謝之

昔之重九日, 黃花笑逐臣。

今之重九日, 軍山笑老人。

咄此一段小腰身, 賤之不負朱家薪。

貴之不佩六國印, 胡爲作痛酸而辛。

坐使唐公獨登神仙去, 呵呵笑看墮地鼠。

重九夜 訪錢君內方 因得飮酒於其宅東鏡山樓 樓卽累以四層 而四面設玻璃窗者也 眺矚甚樂 歸而賦詩

碧空半月亦堂堂, 下照黃花倣作香。

千尺樓中千斛酒, 與君同醉答重陽。

飛樓面面眺蒼茫, 無限天風拂客裳。

八達四通 (樓上揭四通八達四字之扁) 新扁意, 知應兼寫自家腸。

孰爲玄圃孰蓬山, 風外仙軿想往還。

凉月可憐低欲盡, 三聲大笑下人間。

謝錢內方送菊四盆 (二首)

以君熱心肝, 贈我寒菊朶。
全屋生顔色, 儼居何有我。
受金或喪廉, 受花庶無悔。
五色霓裳衣, 列仙紛渡海。

哀王教員懷秋

吾隣黃俶禾, 盛言君文史。
索我覆瓿物, 寄送五百里。
君乃大相契, 如水在乳裏。
行見一酒船, 來泊鑑湖涘。
忽何俶禾翁, 走報短命死。
堂上別偏母, 褓中捐幼子。
黌堂諸後生, 倀倀失綱紀。
吾觀俶禾翁, 於君爲舅氏。
泣至千萬行, 其悲固常理。
若我之所悲, 足驚天下士。
曷故復曷故, 所難是知己。
左手止翁泣, 右手伸挽紙。
蕭蕭楓樹聲, 夕風捲江水。

題樂英齋

角力紛紛萬國同, 嘉哉經誦此冠童。
依如剝卦陽猶在, 誰謂尼師道竟窮。
屋背鶴鳴方丈月, 丌邊蛟舞朴頭風。
知君忼慨揮金意, 謦欬遙承樹隱翁。

爲徐貫恂壽其母陸氏六十 用貫恂韻

前身知自九層臺, 諸福如花七寶開。
最是綺筵先賀事, 郎君頌語擲金來。

爲晶孫納采日 寄陳修定[25]

青青楊柳運河隈, 飛舸晨裝玉鏡臺。

25 “正誤當在壬戌稿”라고 『韶護堂集續』 卷1 補遺에 밝히고 있는 것으로 壬戌년 작품이라는 걸 짐작할 수 있다.

誰謂貧家婚事拙, 彌天名士作媒(時錢浩哉, 費範九二君 爲之作媒) 來。

彌天名士作媒來, 爲是陳家父有才。

傳語小詩須急和, 長江春浪鬪喧豗。

【癸亥稿[26]】(1923년)

寄韓主事箕烈承履

漢上分襟夢杳然, 況兼時事變桑田。

張家楊柳春今老, (因前贈詩語) 夔峽藤蘿月幾圓。

山桂相招雖有操, 江船防顧恐無錢。

舊懽更續知何術, 愁望東雲萬里天。

昔君奇疾在青春, 脫却朝衫臥澗濱。

此事不須相歎惜, 庚年免作被俘人。

秋江江上白芙蕖, 誰折將來插玉壺。

問昔烏衣王氏宅, 諸郎風格似玆無。

擯逐擠排半世中, 鄉兒笑汝目無瞳。

低鳧高雁何分別, 同是人間一羽蟲。

莫言離別太愁生, 不別安知會合情。

司諫洞中三夜月, 向來偏爲二人明。

---

26 『韶護堂集續』卷1 「詩·癸亥稿」에 수록되어 있다.

二月一日 訪李樾軒 李喜甚 飛簡招宋一吾 至出二笛 合奏梅花三弄 笛罷飮極懽 歸而紀之

王駘達者病非病,(宋有脚病) 君復先生鰥不鰥。(李年今三十二 厭室家之累 不肯娶妻)
爲我踞床雙奏笛, 聲聲欲裂紫琅山。
一是奇人一恨人, 攤書弄墨樂松筠。
笛中又有深心事, 除却梅花不謂春。

上巳前一日雨中 貫恂與王翰霄見訪 因邀至千齡觀賞春 歸而有述

君何忽學少年狂, 衝雨同來起病僵。
得得南公園裏去, 花泥一路滿腓香。

上巳日 翰霄與貫恂開會于千齡觀 赴會者陳星南保之父子顧昻千 而余又其一也 作詩紀之

樓觀千齡好, 文華二子才。
當春多感慨, 觴客久徘徊。
雨鎮零紅過, 風驚嫩綠來。
太平猶未洽, 努力到雲臺。

追賦千齡觀景 屬貫恂, 翰霄和之

欄干倒入水中開, 芳樹沉沉繞百回。
好是臨堦成絶叫, 落花渾欲沒身來。

贈陳保之

星南家裏白眉郞, 使我驩心折輩行。
公瑾風流醇酒醉, 獻之書法練裙香。
百年如此堪生活, 一病何須歎弱尩。
羡殺嗇翁探海手, 明珠取作座隅光。

題潘蘭史 飛聲 剪淞閣圖

百年詩筆弄風雲, 淞閣新圖又一番。
何日酒船橫繫檻, 爲君招下少陵魂。

謝錢度華餽賚鰣

小孤山前出鰣魚, 厥味之美天下無。
每年楊花落時節, 人到長江不辭奴。
君今持餉如供佛, 我無可酬如患逋。
强搜枯腸出數語, 負君負君魚不如。

丁介石自任港駐兵所 送鰣魚新網得者一尾 幷寄一絶 率和

萬里長江第一魚, 波痕滴滴入吾廬。
烹來佳味佳逾甚, 爲帶新詩錦不如。

梅花詞 贈孫生玉樹 廷塏

明瑟看春二十年, 幾重紅雨幾重烟。
氷腸玉頰梅花樹, 與我慇懃最有緣。
萬古羅浮夢渺茫, 梅花一夜化仙粧。
渠家寧解佳人事, 自是師雄愛到狂。(余嘗謂君似貞秀女子故云。)

又贈玉樹

問君之所出, 莫是古東吳。
皎皎雲間月, 盈盈海底瑚。
割鷄雖小試, 騁驥有前途。
老我何由羡, 悲歌漫擊壺。

孫韶山 鳳祥 老人 偕孔春圃 聖學, 金海石 元培, 朴 鳳鎭 三君 訪余叙舊 因贈一律 作此奉和兼屬三君

相逢萬死一生中, 白髮都成老禿翁。
笑我英雄身未鑄, 向君身望鑄英雄。

閱歷知君飽雪霜, 新詩安得不悲涼。
依然宋子堂中筑, 座客聞來泣萬行。
因敗爲功在轉頭, 諸君莫負盛春秋。
江山人物崧陽地, 可少虬髯第一流。

酬孔春圃贈詩

昌平聖人有後孫, 生來能讀六藝文。
萬里遠遊意何似, 想像聖跡交悲欣。
泰山東山如面目, 江河濺濺聲如聞。
懸知卄世去鄕恨, 仰天欲訴空白雲。

用前韵 再贈春圃

老身何幸得夫君, 玉貌長髯出俗群。
江氏詞華渾似錦, 王郎墨汁幾沾裙。
遠游漫漫窮黃海, 舊籍依依望綠雲。
一笛風前三盞酒, 相逢那忍卽相分。

東中學校校長史介人 維藩 勸免本校生劉榮甲學膳兩費

江淮豪傑史介人, 衷以道德襮以文。

坐黌指揮八百士, 弈弈如一名將軍。

課案咿唔洶濤浪, 操場騰躍生風雲。

文事武備一時具, 倏而鳳翔忽虎賁。

大池新鑿寬似海, 荷花萬朶香紛紛。

于以怡神暢血脉, 士也孰不增欣欣。

有一窶者劉氏子, 向隅獨泣雙眉嚬。

謂言盲父年七十, 竈陘不煬動近旬。

豈能贍兒游學資, 且將歸去尋鄉枌。

卸却冠裳披襬襶, 農夫田父與爲群。

嗚乎長鋏歌一曲, 上天下地何由聞。

請君攬涕聽我語, 介人先生勇且仁。

方將瞋目收人才, 救中國亡如救焚。

世上衣冠半盜賊, 求介介者少如君。

先生先生, 其將放爾爲農民, 豈終放爾爲農民。

韶山, 春圃二君 以鎭江所作律詩見寄 作長句和之

天下第一江山勝, 焦山一片江中央。
驚濤日夜浴金佛, 泛泛小寺如孤航。
浮遊萬里式微客, 非此何以寬愁腸。
百丈橫繫寺門畔, 縱觀吳楚窮靑蒼。
高歌唱斷起浪白, 狠酒醉來迎月黃。
仲謀公瑾若相遌, 東坡居士參翺翔。
倘能買鰣烹且膾, 豪橫尤足洗寒涼。
謇余罷病未同去, 一恨直與長江長。

南通知事瞿侯莘畬 鴻賓 爲政廉勤 而余以未操言語之故 但得其一二 昨錢內方來道侯平生甚詳 盖錢被侯選 爲邑中宣講 故能然也 余聞而感歎 作詩畧記之

中國積貧困, 官人愛金錢。
人面狼肝者, 到處紛駢肩。
一身恣喫着, 百姓任顚連。
孰如我瞿侯, 忼慨斞貪泉。
瞿侯起湖北, 才譽自英年。
內外遊旣博, 舊新學能全。

自莅南通後, 百度無一愆。
慈惻春陽煦, 昭明秋月懸。
花掩長孺閤, 風飄武城絃。
耈孺咸自得, 笑語依依然。
山若增綠碧, 水若增淸漣。
我本慕循吏, 史傳多所編。
况今蒙佛惠, 羈旅安一廛。
忽忘身已耄, 猥述爲此篇。
取意勿取辭, 諗我縣羣賢。

寄呂博山誠之 兼屬童伯章

屠敬山今何處歸, 長庚睒睒獨誠之。
愛君一片雷霆舌, 解道龍門史卽詩。(君之此說, 與余所論相符。)
冥契相投萬古心, 珊瑚鐵網海沉沉。
換裘向日黃花酒, 使我懵騰醉至今。
報君避暑返鄕關, 莊助深情絶可憐。
(指莊通百) 甚矣吾衰長伏枕, 何因去訪橘中仙。
想君頭髮雪紛紛, 透紙眸光尚射人。
莫向刀圭頻起歎, 古來名士臥漳濱。

黃俶禾索詩 有應

左據天下之圖右自刎, 不如季長屈首校陳編。
江南富客爭矜素封業, 不如俶禾求我閑詩篇。
俶禾之事雖似拙, 俶禾之意能信天。
日向盆花酌醇酒, 酣後吟讀聲琅然。
噫乎不解吟詩亦一禍,
君不見近時將軍驅逐元首惡臭遺萬年。

柬于敬之 忱

曾向師饗接起居, 薰薰氣味更誰如。
夏庠殷序紆斟酌, 鳳網麟羅幾卷舒。
燕影伴閑休夏後, 蟬聲送快納涼初。
老生狂態能容否, 聊擬韓公薦士書。

悼王原初

吾鄉百年文字契, 前有存齋後敬菴。
存也徑逝君又繼, 殘生痛恨將何堪。
三十六年論文地, 往復不下千琅函。
神會幾看呈戚舞, 羈愁藉忘栖湘潭。
近又爲君濡史筆, 廬陵唐書擬遠參。
千秋寃案洗滌日, 將見欣欣大白斟。
猝暴摧折有如此, 天乎天乎竟誰諶。
向空欲哭胸已塞, 江鳥爲我啼楓林。

後隱翁挽

三憂家中一老翁, 不官而尊其德碩。
教子能爲稷下儒, 留賓都是雲間客。
我昔壽翁翁則辭, 秪緣苟活如嘗蘗。
今者之去寧復疑, 御風浩浩秋天夕。

題包遠庭三十小像

三百年前包石圃, 有三十歲讀書孫。
一般形容蕭穎士, 何處老仙驚斷魂。

林梧山 鳳植 求拙著 余以一部寄贈 仍有作

嗜痂成癖欲如何, 雙鯉辛勤撇海波。
認得香泉門戶裏, 風人韻士本來多。

徐貫恂以消寒會不赴 責罰詩 率作

壓座黃花夜飲時, 病身怊悵負佳期。
負儂莫負鄒枚伴, 心折徐郎妙督詩。

冬至夜 嗇翁招同陳星南保之父子, 王饒生, 劉烈卿, 徐貫恂 遊適然亭 賦拗體

今年冬至勝前冬, 名園游戲群賢同。
主人久立蠟梅際, 飛樓更高明月中。
不着一詩亦風雅, 况斟三酌爲豪雄。
獨歎病身先出席, 雲璈未得聞曲終。

【甲子稿[27]】(1924년)

習位思君 送車請赴適然亭夜飮 余病寒未應 作此追謝[28]

驅巾車者八尺夫, 披帷瞋目視病軀。
謂言中園文字飮, 羣公畢至公可無。
不緣君如蕭穎士, 安得有此愛才奴。
君才堪美儕儀鳳, 我身久嗟付瞰狐。
空憶五更酒闌後, 江梅噴出千明珠。

贈王啓之

知君古閥定瑯琊, 詞翰翩翩自一家。
把筆補苴詩卷缺, 何妨作我海棠花。(用東坡何似西川杜工部 一生不作海棠詩之語。)

---

27 갑자년 한시는『韶濩堂集續』卷五「詩·甲子稿」에 수록되어 있다.

28 이 시는「習知事位思君 送車請赴適然亭夜飮 余病寒未應 作此追謝」란 제목으로『韶濩堂集借樹亭雜收』卷一「甲子詩錄」에 수록되어 있다. 제목이 다를 뿐 시 내용은 같은 것이다.

謝尹君 在淸 餽藥物

少癖聲病學, 中年癖便衰。
自後之述作, 半是强情爲。
强情豈詩道, 刪棄不復疑。
晩交有尹子, 忠信又好施。
萬里念我老, 藥物頻相貽。
中心曷不感, 油然發爲詩。
譬如經燒草, 逢春弄新好。
濛密海雲合, 鮮姸江日抱。
細看還歎息, 根荄其奈老。

王啓之爲余置酒於翰墨林 邀諸名勝以助歡 率作以謝

有客珊珊骨有聲, 秋蘭春茝佩盈盈。
三升美醞貧能買, 一片淸懽畫不成。
莫逆何人如戶反, 忘年從古說融衡。
西園側畔初胎杏, 含雨含烟證我盟。

謝同郡尹君 在淸 餽藥物[29]

少癖聲病學, 中年癖便衰。
自後之述作, 半是强情爲。
强情豈詩道, 删棄不復疑。
晩交有尹子, 忠信又好施。
萬里念我老, 藥物頻相貽。
中心曷不感, 油然發爲詩。
譬如經燒草, 逢春弄新好。
濛密海雲合, 鮮姸江日抱。
細看還歎息, 根荄其奈老。

王啓之爲余置酒於翰墨林 邀諸名勝以助歡 率作以謝

有客珊珊骨有聲, 秋蘭春茝佩盈盈。
三升美醞貧能買, 一片淸懽晝不成。
莫逆何人如戶反, 忘年從古說融衡。
西園側畔初胎杏, 含雨含烟證此盟。

---

29 이하 갑자년 한시 15수는 『韶濩堂集借樹亭雜收』 卷一 「甲子詩錄」에 수록되어 있다.

悼李耕齋保卿

寧公之故結綢繆, 坡老床前妙子由。
五十年間千萬事, 如今都化水東流。
筆園鳥喚連床睡, 遼海魚傳幾紙書。
地下尙能耽句否, 哀詞唱似一聲驢。
王孫祭器泣殷商, 埋傍沙翁亦首陽。
繞壙棠梨多少樹, 年年春雨定添香。
愧余人世久覰居, 又見晨星落太虛。
爲語蘭翁靈壽杖, 古家長與鎭詩書。

贈如皐石重光

士別三日驚刮目, 昔聞其語今見君。
四十聞道未爲晩, 況乃三十爭蘭芬。
一夜春雷擊山破, 靑天霍霍龍騎雲。
寄聲韓蘇休歎息, 蟲絲方撤公之文。

自挽

生於空裏復歸空, 且可徜徉大化中。
獨有嵇家閒恨在, 廣陵琴調落飄風。

後自挽

我不喜說天竺偈, 所喜說者惟桑緣。
以韓之產老中土, 非緣何以能致然。
嗇翁舘我淸淨地, 水南花北三四椽。
於此偃仰二十載, 重重纂述書齊肩。
右睨長淮左揚子, 鞭龍策鰲横風烟。
千秋藝苑諸英儁, 精靈招招來滿天。
騰騰兀兀以自喜, 今年明歲忘推遷。
幷忘身世淪滄海, 何况富貴與神仙。
嗇翁厚意報如此, 翁亦知之無一言。
一身終結此而已, 仰空一笑三千年。

張退翁二兒立祖, 希祖 以詩謁評 有贈

天下最可畏, 姸姸小童丫。
聖賢與豪傑, 前途孰知涯。
願二童子知此意, 共向書窗惜年華。
拂雲期渠他日柏, 落溷笑我當年花。

題崔寄園進士新築聽琴亭

寄園老子玉壺心, 宋學唐詞睨古今。
薖軸本來辭世早, 滄桑轉愛入山深。
江流穿野春風遠, 簷勢披雲夜月臨。
一様聽松眞意味, 是琴誰識却非琴。

紀劉榮甲遊學事

(徐州劉君榮甲者, 漢太祖之裔也。遊學南通中學校者有年, 以資乏欲歸鄉爲農, 其同學生東臺蔡清慰, 如皐徐慶瑗, 陳國祚, 花澡芬, 趙新見而憐之, 相與助之以資, 使竟其學, 余聞而壯之, 作歌以紀其事)

大風天子社屋後, 有雲孫作遊學子。
雖乏龍顏好骨格, 腹中有腸直如矢。
腸如矢兮室如磬, 虀鹽冷落空盤舐。
且將踏裂冠與裳, 故山歸去耕春水。
奇哉二三同學生, 個個珠睛編貝齒。
見之一聲發長歎, 共傾囊槖作歡喜。
忽如擲鮒涸轍外, 復似放鶴樊籠裏。
遂令世上齷齪輩, 聞風黯黯顙生泚。
我詢其名與作歌, 賢者遇賢固其理。

爲洪可人命憙 題東亞日報

乘舟涉江水, 不如鄭年泗海五十里咽不噎。
張弓射鳥雀, 不如有窮后羿一射落九日。
君莫笑此日報, 一張紙一枝筆。
紙乃大於天, 筆乃剛於鐵。
比諸庸庸處士議轟乎, 何異深夜驅驚霹。

謝醫士柳亦奇拔病牙

我老病牙閱醫多, 金陵柳生爲第一。
械頭有佛指有神, 牙出令人疑未出。
更看子非尋常人, 短短一身皆玉骨。
何不去作太醫官, 蓬轉江湖生理拙。

題孔春圃南游錄

去年遊中國, 今年遊嶺南。
江山碧痞吸納處, 長風萬里飄虬髯。(君有美鬚髯)
子長文章將益美, 此編之作惡得已。
恨余形跡隔參商, 聞風不得竝車軌。
洋洋一筆皇甫序, 風流輸與韶山子。(孫韶山鳳祥作錄序)

贈瞿鏡人 竟成

暮境逢佳士, 玆情奈樂何。

靈丹千歲熟, 春葅一紉多。
如欲論文字, 宜先辨道魔。
紹興無限酒, 請與日相過。

用前韵 再贈鏡人

眼看崇鐵劍, 文運竟如何。
大道惟須悟, 深言豈在多。
寒山尋片石, 郢郡夢高歌。
知子容狂說, 胸中幾頃波。

謝孫應天 得和 贈藥

孫君生長翰墨門, 謂傖解作三都篇。
輪船萬里劈雪浪, 席門三扣曾結緣。
兩斤六十神山稛, 今又持祝喬松年。
噫噫我是南冠客, 詎宜貪惠久活增靦然。
君年方强壯, 有才傑而姸。
結交大都會, 盖多劇孟賢。

一日奮龍劍, 光氣亘青天。
小可大鐵椎, 大可齊田單。
然後付書青鳥以報我縛竹掃花, 迎我崧山舊栖前。
我且蹶然强起, 吹火謀烹煎。

送黃俶禾赴西亭警察之任[30]

昔遊翰墨場, 詞采青雲薄。
今作警官身, 意氣毫不怍。
知君好才器, 淸濁無所擇。
豈如端木賜, 瑚璉用止一。
方今共和政, 太半是糟粕。
呑舟肆厥惡, 民生多不樂。
西亭一片區, 寧能獨免瘠。
行矣君勉旃, 玫瑰勸三酌。
亦有餞送詞, 芳氣等霜菊。
誰謂警官卑, 積之至黃閣。
誰謂西亭小, 推之至關洛。

30 이 한시는 『韶濩堂集借樹亭雜收』 卷三, 「乙丑詩錄」 補遺一首에 "當在甲子稿"라고 밝히고 있다.

【乙丑稿[31]】(1925년)

用調體 謝習位思君除夕之饋

滄翁餞歲悄獨嘯, 位思詞人發其笑。
借問發笑是何爲, 饋術俺用仙術奇。
將非食物爲食物, 使我認爲龍眼肉。
家人傍窺笑呵呵, 非龍非龍謂龍何。
我乃合笑成大哄, 吉雲繞屋和風送。
不用儺鼓逐鬼神, 全勝雲物占天官。
乃知詞人才思好, 用此慰余使忘老。
敢不奉到春園同會場, 濃花挿鬢誇健强。

賀九江呂翁鹿笙六十二歲生男

四十大兒擧九江, 六十小兒擧南通。
白頭生子如翁者, 誰不羡之稱健雄。
以余觀乎翁, 所觀有不同。
翁有溫溫君子德, 忽如鸞鳳下青空。

31 이하 乙丑稿 한시는 모두 『韶濩堂集借樹亭雜收』 卷三, 「乙丑詩錄」에 수록되어 있는 것이다.

上帝錫福有深意, 與拔園花栽澗松。
九江飛瀑從天下, 南通之山峙紫琅。
他日二兒侍翁坐, 各述生地誇鍾靈。
翁亦安肯置優劣於其間, 捫髯但笑懽融融。

題範九感時五言律四首後

狗偸鼠竊斷何時, 變局中州事可噫。
幸見北征忠愛作, 水仙花畔立春時。

位思次余韻 語多高激 余悔其前調 賦正體却寄

東水關邊一壁人, 胸中二十八星辰。
劉蕡策論曾驚世, 老子刑名(君近爲南通律師故云) 晩隱身。
高性可憐稀所合, 賤纍何以得相親。
鷄毛詞筆同頭禿, 欲寫深恩恨更新。

位思次余七律韵至二首 托意益盛 作六絶句以謝之

才子例善愁, 文人本多病。
以子之楚楚, 刀圭安得屏。
子病吾知之, 其源在文獻。
何如一種人, 天濁長肥健。
我爲老樗櫟, 君以琴材論。
欲將黃金索, 被之招樂魂。
何子之心曲, 溫煖如春陽。
愛我復恤我, 頻繁何有亡。
君子不竭惠, 古人有明言。
老身一藥外, 何敢更貪恩。
君病握粟卜, 卜曰宜停吟。
願言斂才調, 嘿坐梅花陰。

贈呂生蒙齋 傳元

可愛之年少, 於今見呂郎。
容儀行白玉, 家學襲靑箱。
錦以韜爲美, 檀因朽有香。
老身頗閱世, 曷不奉琅琅。

寄外孫李賢在 (二首)

鄉關去路阻長鯨, 耄境逾深骨肉情。
梨棗何曾分餉汝, 百年空有外家名。
奇汝年華纔弱冠, 揮毫逸氣欲凌雲。
儂家懸腕狂風味, 却喜彭城一派分。(余作書, 喜用懸腕法, 而賢在亦然, 故引東坡墨竹語以比之, 然其實賢在未嘗學我, 而自然偶同耳。)

習苦行 位思之別稱 再次七律韵 又餽以藥 率和

三回餉藥意纏綿, 欲我康强似大仙。
傳語大仙寧足羨, 得君一日抵千年。
小杜詩中萬古愁, 斷腸芳草轉三秋。
詎知我輩相逢晚, 奇絶還多一個籌。
春風日日入通州, 兩處詩飛絡繹郵。
豈果愛吟吟不已, 一時同忘杞人憂。
龍鼠升沉家國事, 吾儕何以際今辰。
千秋廣武英雄歎, 阮步兵眞是快人。
文人從古好相輕, 毫末名譽抵死爭。
借問長江長萬里, 可如習子愛才情。

寄苦行

玉貌氷腸肚, 如君再見無。
涉時傷枘鑿, 抛印返菰蘆。
憂重詩偏激, 痾多藥僅扶。
婆心仍未已, 憐到此狂奴。
萍蹤人所賤, 况我黍離歌。
江闊羞思洗, 花明淚更多。
蕭條元氏史, 辛苦魯陽戈。
感子芳香訊, 重重到薜蘿。

寄顧未杭

(日楊生穀孫過余謂曰, 顧未杭亟稱子文, 吾爲子喜, 余爲之感動, 作詩以寄未杭。)

千人曰可吾不喜, 千人曰否吾不悲。
就中別有眞可否, 是名曰知知者知。
東韓老客覆瓿物, 顧翁讀來却可之。
此事出自楊生口, 楊生賢者必不欺。
我願與翁披綵服, 共畧扶桑到咸池。
請帝得一大丸藥, 下療千萬聾盲兒。
歸來酌酒相與賀, 招呼風月吹參差。

不知世運入混沌, 幷忘殘景垂崦嵫。
樂哉人間此奇遇, 何數伯牙鍾子期。

題馮涵初種菜圖

春雨種菜蔬, 野人之庸事。
變而爲英雄, 風流自劉備。
遂令曹家兒, 懷疑不能置。
事往二千載, 馮君又托志。
使我撫其圖, 慨欲落淸淚。
志士與霸雄, 腸肚非是二。
但其百年內, 所遭時爲異。
君何出不幸, 有志不得試。
共和太平策, 鬱鬱懷萬字。
鏌鋣殺敵劍, 日銷爲農器。
所以王處仲, 擊壺歌櫪驥。

五園朝景

五區亭觀向春風, 各態相誇淡復濃。
一望綠波紅日外, 飛花飛蝶萬重重。

又贈呂生蒙齋

君年未及冠, 吾年已近耋。
吾之叩君學, 豈曰知時節。
忽念賢哉回, 一聞而十知。
夫能知其十, 百千卽在玆。
又念古人言, 思思鬼通之。
鬼神德敏疾, 不以歲月遲。
快快箭脫彎, 砰砰雷破山。
吾旣得此義, 意氣便欣然。
仰笑羲和鞭白日, 俯笑老禪泣無傳。
直欲乘此春夜月, 携君手至長江邊。
穿楓度蘿坐岩石, 與放長嘯驚龍眠, 嗇翁聞之棹酒船。

謝呂蒙齋倡刊拙著

(呂蒙齋愛讀余近著所謂借樹亭雜收者, 出金五十以倡刊事, 盖余之著作, 爲中州風義君子所刊者。始於屠敬山, 次於錢浩哉, 費範九, 今又次於蒙齋, 而蒙齋於其中最爲少年, 尤可奇也, 爰綴小詩, 以志感愧。)

謬賞儂家覆瓿篇, 黃金促刻散如烟。
定知海內新評出, 文字扶輪屬少年。

淡廬因余鬻字 爲之設法 使得厚獲 盖念余之貧也 作此以謝

驀地盈盈送白金, 寒栖化作夥沉沉。
夫君珠玉三千首, 誰識詩心卽佛心。
掀髯大笑向天風, 世上何人道我窮。
薦福一碑千搨本, 得君神力叱雷公。

淡廬四十壽詩 (二首)

此壽世亦有, 孰能如子全。
詩詞花燦爛, 福祿月團圓。

衛玠多英譽, 蘭亭足盛筵。
小詩非是醲, 願以諗羣賢。
東韓孤客子, 托契豈非天。
藉定風波夢, 層生翰墨緣。
知玄慚過分, 鑷白誓忘年。
近事尤難忘, 煩謀紙裹錢。

賀蒙齋新婚

天下家家總迎婦, 吾於呂生望獨厚。
中州統合九百年, 變運沉沉屬陽九。
英雄俊傑寂無聞, 妖腰亂領誰除否。
生年十八才特英, 如驥墮地橫超母。
圖書館裏香似雲, 琅琅讀破書幾部。
聞說佳期媒已告, 行鞭將折長江柳。
花箋一幅頌祝辭, 可止房中琴瑟友。
麟固生麟鳳生鳳, 長松之下風必有。
會須看得仲謀公瑾抱兒送, 賀客酌盡江南千石酒。

爲楊君穀孫 賀其母王太夫人八十

恭愼先生有才妻, 幾篇唱和關雎詩。
先生沒後作都講, 于以防飢兼鞠兒。
厥兒聰明博書史, 中壘經業傳不隳。
好澤榮文擊節讀, 謂宜配食震川歸。
南通城裏有子者, 紛然願迎爲塾師。
是以瓶罌頗免窘, 奉養日殺仇家鷄。
且爇心香向北斗, 泣請賜母無疆壽。
帝乃感動發咨嗟, 詔令羣靈作先後。
賜名淮南大女仙, 幷割唐溪以爲酒。
何必富兮何必貴, 是母是子世罕有。
澤榮歎息作此頌, 爲天下人勸孝友。

同曉芙訪習苦行 觀其新築書樓[32]

謂言多病豈非瞞, 萬卷羣書讀不難。
斜日來尋紅樹際, 新椽迎舞碧雲端。
唐詩晉帖飛騰入, 石銚銅瓶次第安。
苦學應資筋力健, 奇方說與紫金丹。

---

32 『韶濩堂續集』「詩乙丑稿」에 수록되어 있다.

【丙寅稿[33]】(1926년)

嗇翁生辰宴席 遇一湖口客姓名或曰兪理甫 年可六十 走筆贈余詩曰 洛社香山自古傳 三尊齒德列高年 南通今日生辰宴 最喜能逢海外仙 佳作也 歸而和之

西南客子面如田, 走筆貽余白雪篇。

何似岳陽春酒店, 天風吟過老回仙。

蒙齋讀余所贈申紫霞詩 大賞之 可知生之有進於詩也 贈此志喜

紫霞詩訣落飄風, 寂莫江山百載中。

豈意阿蒙今日賞, 後生梅酒却英雄。

嗇翁挽

等覇期王負俊才, 應龍飛處一聲雷。

---

33 병인년 한시는『韶濩堂續集』「詩·丙寅稿」에 수록되어 있다.

縱無鄧禹奇功在, 足試瞿曇活手來。
昌黎雲與孟郊龍, 文字狂歡卅載中。
今日都來成一錯, 奈何江月奈淮風。

黃俶禾五十預祝詩 君明年丁卯爲五十

俶禾手持冷金箋, 求余一言五十壽。
盧胡大笑我乃東壁府中仙, 攝君久賓弟子首。
文章愈老奇愈多, 橫奔五岳折北斗。
爲君頌德豈無辭, 爲君祝年亦何有。
況又近時眉毛新發怪, 神力之助應更厚。(余近日右眉生二寸六分之一毛。)
請君勿患不得仙, 但向天風日命葡萄酒。

謝陳石廬 汝燊 贈菊花四盆

黃菊天下斷腸花, 石廬愛之魂百斷。
爲是胸中文字奇, 自與俗人霄壤判。
以此成病病大苦, 擧以讓我恢達觀。
四條仙幢下崑崙, 紅霞白雲色交亂。
此時明月適又圓, 膨脝香氣盈空舘。

呼兒美酒賖一瓶, 醉後起舞遙狂喚。
吾聞時菊制頽齡, 已自陶公多讚歎。
將君下策作上策, 信知大道無定算。(君妻左氏 亦解寫墨蘭 以才思相尙)

吾姪鼎寶 與其友李南圖同省余 旣而南圖以生期置酒招余 往飮甚樂 因作詩 幷贈鼎寶, 南圖

吾姪有佳友, 氣蘭膚似雪。
萬里同舟來, 慰我孤寂莫。
適君生期至, 濟楚有陳設。
水陸之珍味, 一腹難勝食。
惟君溫溫意, 不飮已醺人。
矧乎紹興醅, 屢酌至忘巡。
世事有萬苦, 倫理有一樂。
願言掃萬苦, 懽樂同無極。

歲暮 懷章君繼農

第一淸才孰似伊, 敬山歸後又相思。
梅開梅老人難見, 重歎殘生八十時。

노백린(盧伯麟)[34] 편

國恥

風雪鳴雄劍, 月星開陣障。
三軍不復起, 國恥十年長。

34 노백린(盧伯麟, 1875-1926)의 호는 계원(桂園)이며 상하이에서 대한민국임시정부의 군무총장을 맡았었다. 「國恥」는 상하이에서 지은 것으로 일제에 대한 규탄을 토로한 시편이다.(『독립군시가집』, 송산출판사, 1984)

무명 씨(无名氏) 편

獄中感懷(二首)[35]

(一日與隣房通話, 爲看守之竊聽, 雙手被輕縛。二分間卽吟。)

隴山鸚鵡能言語, 愧我不及彼鳥多。
雄辯銀號沈默金, 此金賣盡自由花。

又

一念頓覺淨無塵, 鐵窗明月自生新。
憂樂本是惟心在, 釋加原來尋常人。

35 저자 신원이 미상이며 이 두 수의 시는 『독립신문』(1919.11.8.)에 게재되었다.

박길서(朴吉緖)[36] 편

上海

廣東砲響動江南, 敵勢崩騰戰未酣。
逐許外商通上海, 金陵一約不勝慙。

南京

金陵三月客東來, 催馬斜陽上北臺。
江水悠悠山勢遠, 雄城昔日帝都開。

獅子山前雲寂寂, 鳳凰臺下草依依。
六朝官闕餘春夢, 落日空城百鳥歸。

36 작자의 신원은 미상이며 여기에 수록된 한시 5수는 『개벽』(1920.9.25.) 제4호에 게재된 것이다.

明宮古址

五龍橋外五門通, 指點當年建帝宮。
滿地菜花成老圃, 血碑無語立春風。

登鷄鳴山

南朝多寺已成塵, 唯有鷄鳴古蹟眞。
歷代金陵風雨變, 老僧白髮幾經春。

洞庭湖

蜀山春水洞庭生, 天色湖光玉鏡清。
試看船頭令夜月, 巴陵美酒最多情。

백산학인(白山学人)[37] 편

月夜偶感

明月照靈毫, 青光無境涯。

臨事多奇計, 懷憂數舉杯。

讀書皆聖者, 說法是如來。

□□終不寐, □□□窓開。

37 저자 신원 미상이며 이 한시는 1928년 6월 3일자 『민성보』(民聲報) 제4면에 실렸다. 이 시는 『민성보』에서 찾아볼 수 있는 유일한 한시이다. 이 시의 마지막 행의 5자가 찍혀 나오지 않았다.

변영만(卞榮晩)[38] 편

憶丹齋[39]

晴霹橫空至, 三千海嶽嚬。翦鶉天醉久, 漫欲叫蒼旻。
群雀厖冥書, 白脊來鶴鳴。盡情成獨唱, 何干龑後名。
燕舘重逢夕, 暫同燈燭光。何會疑後日, 從未語加詳。

38 변영만(卞榮晩, 1889-1954)은 자는 곡명(穀明)이며 호는 산강재(山康齋), 곡명(曲明), 백민거사(白旻居士)이다. 1910년 중국에 망명하였다가 1918년 귀국하여 학문에 전심, 전공을 바꾸어 한학·영문학을 연구하였다. 광복 후 성균관대학의 교수로 후진양성에 힘썼으며, 국학 발전에 크게 공헌하였다. 저서로는 『산강재문초(山康齋文鈔)』·『20세기지삼대괴물론(二十世紀之三大怪物論)』이 있다.

39 이 시는 『동아일보』(1936.3.7.)에 게재되었다.

신채호(申采浩)[40] 편

北京偶吟

寂寂挑燈坐, 非爲守六庚。
石才慚後死, 無漏悟前生。
世薄難爲客, 春來若有聲。
一朝貧富異, 始識故人情。

40 신채호(申采浩, 1880-1936). 본관은 고령(高靈)이며 호는 일편단생(一片丹生)·단생(丹生)·단재(丹齋)이다. 필명은 금협산인(錦頰山人)·무애생(無涯生)· 열혈생(熱血生)·한놈·검심(劍心)·적심(赤心)·연시몽인(燕市夢人)을 썼으며 가명은 유맹원(劉孟源)을 사용했다. 『조선상고사』, 『조선상고문화사』, 『조선사연구초』 등을 저술한 일제강점기 학자. 언론인, 독립운동가이다. 1910년 옌타이를 거쳐 칭도우에 도착하여 망명을 시작하였다. 1913년 헤룽쟝성 밀산(密山)을 거쳐 상해(上海)로 가서, 동제사(同濟社)에서 활동하는 한편 문일평(文一平)·박은식(朴殷植)·정인보(鄭寅普)·조소앙(趙素昂) 등과 박달학원(博達學院)을 세워 교육에도 힘썼다. 1919년 북경에서 대한독립청년단을 조직하고 단장이 되었다. 그 해 4월 상해임시정부 수립에 참여하였으며 임시의정원 의원이 되었다. 1921년에는 순 한문으로 된 잡지 『천고(天鼓)』를 발행하였다. 1936년 중국 뤼순 감옥에서 57세로 생을 마감했다. 여기에 수록된 한시는 1919년 이후부터 1936년까지 창작연대를 확인할 수 있는 한시들을 모아 정리한 것이다. 『천고(天鼓)』에 발표한 축시는 따로 『천고(天鼓)』편에 수록했다.

故園

一曲清江兩岸林, 數間茅屋當江潯。
風來面下共高枕, 月到簷前照彈琴。
石經時過鼯鼠跡, 平沙不變白鷗心。
如何十載不歸去, 留滯燕南學越吟。

家兄忌日

先父遺孤吾兩人, 嵚崎卄載閱甘辛。
歸來洞里三間屋, 鬱里河邊一樹春。
風雨牕床同話舊, 詩書滿架不憂貧。
誰知今夜燕南客, 獨坐天涯淚滿巾。

秋夜述懷壬戌[41]秋作

孤燈耿耿伴人愁, 燒盡丹心不自由。
未得天戈回赫日, 羞將禿筆畫靑丘。
殊方十載霜侵鬢, 病侵三更月入樓。
莫說江東鱸膾美, 如今無地繫魚舟。

癸亥十月初二日[42]

天空海闊盡悠悠, 放膽行時便自由。
忘却死生無復病, 淡於名利更何求。
江湖滿地堪依棹, 雪月邀人共上樓。
莫笑撚自吟獨苦, 千秋應有伯牙酬。

---

41 임술(壬戌)년은 1922년 단재의 43세 되는 해임.

42 癸亥十月初二日: 1923년 10월 2일 날 지은 시임.

無題甲子 年作

(甲子五月端午, 晨起拜佛, 偶憶甲寅是月是日, 桓仁縣與李倬。
尹世茸諸公 次宋人 韻共賦一詩, 今回首已煢煢 十年矣 悵然復次其韻)

睡睫朦朧不肯開, 淸晨强起拜如來。
子胥身世餘行乞, 元亮風流廢擧盃。
白壁三朝終不遇, 黃河一去幾時回。
故園香草堪爲餠, 回憶斑衣膝下陪。

贈別 期堂安泰國

大風刮地塵滿天, 匹馬蕭蕭東向旋。
雪下荊卿論劒市, 春回王建種稌田。
殘燈共草壬辰史, 野老爭傳甲午年。
一劒掃倭時事定, 琗琴彈月臥林泉。

述懷一

善惡贊愚摠戲論, 耶回孔佛摠相嗔。
辨看靑白之非眼, 散作塵埃倒是身。
妄念玆悲還地獄, 任情屠殺使天人。
吾人來去只如此, 捨假求眞更不眞。

述懷二

鷄狗於人本無罪, 只爲口腹日殺之。
惟有强勸而已矣, 空言仁義欲何爲。
席門談道眞適士, 手劒斬人是快兒。
雲雲聖哲果何者, 高標二字謾相欺。

夢金演性

(金號一愚, 居楊洲(忘其洞), 財可中産。嘗與余同留成均館, 前後可六年。乙巳五條約成, 與許旺山, 入嶺東倡義, 其本家爲日兵所焚掠。旣而許被擒死, 兵散, 金走渡江。壬子余在海港, 有傳某在北間島某地。其後不相聞已,十年矣。夜夢忽見金千里訪余握手, 邀故如平昔旣覺, 揮淚書此詩。)

滿天風雨一燈寒, 共話聯衿到夜闌。
岐路十年成遠別, 雪山萬里阻平安。
孤忠本位韓仇出, 壯士寧愁蜀道難。
夢裏相逢猶不易, 回嗔晨磬太無端。

贈妓生蓮玉

風雨凄凄海上春, 芳姿偏萎路傍塵。
羅裙猶帶朝鮮色, 不弔英雄弔義人。

讀史

宋儒饒舌罵荊卿, 千秋傷心盜刺名。
不識當年南渡後, 誰將一矢向邊城。

興京途中[43]

浮生四十成何事, 貧病相隨暫不離。
却恨水窮山盡處, 任情歌哭亦難爲。

燕京別李華史

壯志風塵賦遠遊, 提刀躍躍下山秋。
連天荊棘知前路, 極目烟波有古舟。
功業晚時休泣髀, 機心萌處易驚鷗。
石多尙有乙支窟, 莫向隣家百尺樓。

---

43 「朝光」 1936.4월호에 게재되었다.

無題[44]

(十七歲時 作)

故園文物總依前, 儒雅風流不用仙。

峰樹擁蒼爲特地, 硯氷呵白又凉天。

鄕愁越鳥方成夢, 詩意吳蠶正入眠。

吟罷讀叢兼話壩, 閒人趣味信悠然。

丹齋箴

縱有萬古, 橫有八垓。

突然中間, 爾掉臂來。

拜檀爲祖, 呼佛爲兄。

鞭笞百魔, 騎虎閒行。

天降大椎, 碎破地球。

聖凡皆空, 塵飛六洲。

惟丹不滅, 光燭天衢。

---

44 「조선일보」 1931.12.27 「조선의 역사대가 단재 옥중회견기(6)」에서.

오연(吾然)[45] 편

莫愁湖

淮水向東日夜流, 石頭城畔莫愁愁。
十年不盡望夫恨, 樂府傳今唱阿候。

鎭江懷古

終古興亡夢一場, 大江南北幾滄桑。
孫家覇業今安在, 惟有荒城對夕陽。
(吳王權暫都于鎭江)

45 작가의 신원은 미상이며 4수의 한시는 『동광』(1926.9.1.) 제5호에 게재되었다.

悼塞上

塞壘腥風吹血飛, 十年奔走一戎衣。
圖生寧忍苟生辱, 決死方知後死非。
國史千秋留大節, 疆埸萬里仰雄威。
而今却盡爲人道, 莫恨世間知者稀。

題句容黃蟄莽先生梅幅

却笑氷霜利似刀, 逃名故不入離騷。
靜窓獨寫淸癯影, 人與梅花誰更高。

유기석(柳基石)[46] 편

南京城壁

(明室의 都邑이던 南京 景致를 보고)

龍蟠虎踞屬南京, 六代繁華未變更。

車馬如雲商務盛, 無人不念此古城。

46 유기석(柳基石, 1905-1980), 20세기 전반기 중국에서 활동한 한국 독립운동가이다. 1912년 중국으로 이주하였으며 1920년 중국 국적을 취득하고 중국에서 육십여 년이란 삶을 살았다. 그는 루쉰의 소설을 한국어로 번역하여 한국에 소개한 번역자이기도 하다. 여기에 게재된 한시 4수는 모두 『개벽』(1922.2.1.) 제20호에 게재된 것이다.

午朝門

峨峨金闕九重天, 鵠立朝臣憶昔年。
禾黍而今傷滿目, 宮門一路莩兒眠。

南京商埠

到此如何不問津, 往來車馬逐飛塵。
萬家商埠同雲集, 風景依稀似滬濱。

明陵

古跡重修不忍湮, 先朝陵寢煥然新。
紅男綠女爭瞻仰, 殘缺猶有石馬人。

윤봉길(尹奉吉)[47] 편

滌汚

沐溪一曲水, 修德源自流。
滌吾身污穢, 無盡格千秋。

放砲一聲으로 盟誓하며[48]

巍巍靑山兮, 載育萬物。
鬱鬱蒼松兮, 不變四時。
濯濯鳳翔兮, 高飛千仞。
擧世皆濁兮, 先生獨淸。
老當益莊兮, 先生義氣。
臥薪嘗膽兮, 先生赤誠。

---

47 윤봉길(尹奉吉, 1908-1932)은 호 매헌(梅軒)이며 충청남도 예산군의 가난한 농가에서 태어났다. 1931년 봄 고향을 떠나 1932년 4월 29일 상하이 홍구공원에서 의거한 후 일본 헌병에게 체포되어 그해 12월 9일 오사까 감옥에서 사망했다. 여기에 수록된 한시는 거사전에 쓴 시로서 그 중 한 수는 백범 김구선생에게 드린 유시이다.

48 중국에서 발행한 『新东方』 잡지 1932년 제3권 8기에 "尹奉吉志士墨寶"라고 수록되어 있으며 기사면 제일 하단에 "홍구공원 거사 전날 윤봉길 지사가 백범 김구선생님께 드린 글(虹口掷弹前一日尹奉吉志士书赠金白凡先生即金九之歌)"라고 밝히고 있다.

이상룡(李相龍)[49] 편

過朝陽鎭 己未[50]

朝陽大道挾江盤, 兩日東馳不見山。

49 이상룡(李相龍, 1858.11 ~ 1932.5)은 경상도 안동에서 태어났으며 본관은 고성이고 초명은 이상희(李象羲), 자 만초(萬初)이며 호 석주(石洲)이다. 중국으로 망명 후 이계원(李啓元)으로, 이어서 이상룡(李相龍)으로 개명하였다. 경술국치를 거치면서 한국 국내에서의 국권회복 운동이 불가능해지자 1911년 1월 대가족을 거느리고 압록강을 건너 중국으로 망명하여 독립운동을 전개하였다. 중국에서 이상룡은 한인 교포의 토지 임차, 중국 국적 취득, 중국인과의 문화 충돌 해소 등의 문제를 앞장서서 해결했다. 1925년 7월 7일 임시정부의정원회의에서 국무령으로 추대하였지만 1926년 2월 임정 국무령을 사임하고 지린성 화전현으로 돌아왔다. 이후 이상룡은 독립운동 일선에서 물러나 있다가 1932년 5월 병으로 길림성 서란(舒蘭) 소성자(小城子)에서 향년 75세의 나이로 순국했다. 이상룡의 저서로는 그의 아들 이준형이 엮은 유고집 『石洲遺稿』인데 이 유고집에는 생전의 시문집 6권과 그밖의 저술을 모아 종래의 문집 체재로 편집한 수필본이다. 이 유고집에는 이상룡이 중국 망명 이전과 중국 망명지에서 창작한 작품들을 모아 편찬한 것이다. 여기에 수록된 이상룡의 한시는 바로 1919년부터 사망전까지의 중국에서 창작한 한시들을 수록한 것이다. 출처는 고려대학교출판부에서 출간한 1933년부터 1942년까지 정리한 사본 『石洲遺稿』(1973년)에 수록되어 있는 한시와 석주 이상룡기념사업회에서 편찬한 『石洲遺稿』後集(1996년)에 수록되어 있는 시들을 모아 정리한 것이며 배열 순서는 편리를 위해 『국역 石洲遺稿』(안동독립운동기념관 편, 경인문화사, 2008년)를 참조했다. 그리고 중국 지명에서도 생소한 지명에 대해서는 각주로 설명을 진행했다.

50 朝陽鎭은 현재 중국 지린성 통화지구에 있는 휘이난현 현급 소재지이다. 己未년은 바로 1919년을 가리킨다.

賣米農車磐石[51]到, 載人商帆吉林[52]還。
縱橫電線新民國, 輝映金扁舊鎭官。
醉夢千年臨故土, 輝巴[53]遺躅對無顔。

黑石頭道中[54]

車轉嶺過黑石頭, 亂山中坼大江流。
紋繒疊摺開商店, 碧瓦參差認酒樓。
風前快馬橫貫去, 鏡裏孤舟自在浮。
二舍樺僑天下雪, 候門稚子幾回眸。

---

51 판스(磐石)는 지금의 중국 지린성 지린지구에 속해 있는 판스시(磐石市)을 가리킨다.

52 지금의 중국 지린성 지린시를 가리킨다.

53 휘파성은 지금 중국 지린성 휘이난현에 있다.

54 이 시가는 중국 지린성 화뎬시(樺甸市)로 이사온 것을 쓴 것이다.

到腰坡

城倉九里到腰坡, 埸畔堆禾三兩家。
爭說今年米價好, 十升能値五圓多。

下松崗[55]遇雪

輝南南走下松山, 大雪如篩撲面寒。
須臾銀海人踪滅, 獨仗枯笻透險關。

哭裴永進

1

溫雅其文謹拙規, 一生韜晦不求知。
風潮漲漾新時代, 孤笑群中亦自奇。

55 샤숭강(下松崗)은 지금의 휘이난현에 속해 있는 지명이다.

2

周粟焉能浼熱腸, 十年遼野飽風霜。
時機漸到身先逝, 未見嵩呼入漢陽。

3

悲歡榮辱劇紛忙, 此世元非久滯場。
老别何須兒女泣, 丁寧冥會後期長。

宿漁家 庚申[56]

清晨擧網入江瀦, 活着銀鱗長尺餘。
日換千錢貧自若, 家人每食歎無魚。

送成駿用李範錫姜南鎬遊內島山[57]

妙年腰笛氣如虹, 蘿月松風入望中。

---

56 庚申은 1920년을 가리킨다.

57 內島山은 지금의 乳頭山이라고도 하는데 백두산으로 가는 二道鎭을 지나서 있다.

此行必獲神明助, 檀帝於昭眷大東。

聞健初出監之報次德初寄示韻

1

取舍熊魚夙講知, 十年薪膽度支離。

西隣忽倡平和議, 東國遂回獨立時。

高揭極旗瞠老敵, 首呼萬歲破群疑。

囹圄苦痛恬然處, 限到終看脫虎危。

2

軒然風度藹乎言, 印在心頭不暫諼。

大被無期勞夢想, 遠郵多戒阻寒暄。

愚民做犬行貽孽, 妖敵如狐攝去魂。

若聞阿姪還家報, 方釋衰年懸念煩。

釣魚

不必廣張渭水竿, 何須高隱富春山。

但將閒意消長日, 免使虛名鬧世間。

憶安圖[58]分駐教成隊諸君

敗絮垢衣不掩風, 虀塩朝夕腹應空。
誰知異日新韓運, 建國英雄出此中。

自悔

蹈海當如魯仲連, 採薇堪臥首陽巓。
不量天時輕竪幟, 徒戕無數好青年。

---

58 安圖는 지금의 연변조선족자치주 안도현을 말한다.

聞青山一捷後 我軍散亡殆盡

青山捷報耳初醒, 一戰能殲數百兵。
不善指揮司令責, 終教健卒散如星。

聞日兵所過燒殺 延琿等地盡化灰燼

倭騎跳踉兩旅團, 所過屠殺血成瀾。
貫盈爾罪天應厭, 惡報昭昭待後看。

倭寇連絡匪 劫掠安圖 知事以李青天爲討匪司令 聯合五團 發向縣街

李將兵機敵手無, 五團聯合討頑匪。
從此中東關係密, 驕倭不敢進安圖。

車用陸 始聞其死 生還至樺 喜不可言

吾以君爲已死人, 何由得免劒頭塵。
分明天意先人定, 留作他年創業臣。

金弼 旣脫囹圄 再入柳縣 爲日兵所獲 竟被虐殺

檀公上策盡人知, 惜子聰明見事遲。
旣脫禍坑胡再入, 任渠剉作肉泥爲。

冬眠無眠

茅簷西向苦多風, 窓紙颼颼綻盡封。
冷臥支離衾似鐵, 鷄聲和月度遙空。

四從叔承一氏 性硬直 與人言 頗露稜角 以是爲狗輩所惡 姓名轉入敵耳 屢遭駭機 常避身在外 一日因天寒衣薄 要與家人謀 乘隙到家 華人知面者 迭來相訪 一迎一送 不覺日暮 承一氏 忽生疑慮 潛出匿於隣舍 少頃 外頭人聲甚鬧 從窓隙窺 敵十餘名 帶五六狂狗 繞屋三匝 搜索甚急夫人金氏 已被執在庭 所匿隣舍 亦入圍中 承一氏 罔知所爲 擁衾伏于炕下 其家夫人 脫裳橫覆頭面 以身翼蔽 聚爲一塊 敵突入撤衾 將曳出 手幾及身 諸夫人 疾聲叫苦 金夫人在窓外 慮其難免 乃擧手作指示狀 急呼快走華人家 時已昏黑 不辨遠人 敵疑承一氏在彼群赴之 於是承一氏 起身出匿于柴堆中 敵遍搜無所獲 逐拿金夫人而去 承一氏 乃從籬畔出 華人奇其幸免 請入其家 承一氏 不肯曰 敵若再來 恐貽禍於爾 華人曰 吾北隣頗隱僻 可與我偕往 至則乃山東來者 月前暫接於承一氏家 金夫人 待之甚厚 其娃感之 見其至 急起迎入 固請去上衣 枕之以臂 覆衾而臥 承一氏 嫌其無禮 娃曰無傷也 吾爲爾急難 若拘於小節 不能自盡 脫有不幸 則我無濟人之功 爾有噬臍之悔 因顧謂夫曰 君自臥炕上睡 如有來者 告以客也 而已 聞叩扉聲 娃出而視之 金夫人 與華人偕進細傳調査顚末 知其不復再來 坐而待鷄 飮以米粥而送之

槍砲森圍搜索急, 一身無地可圖生。

隣婦翼藏堪警世, 華娃高義越常情。

聞敵魁交涉北京 得許十三縣自由行軍 中國自出三萬兵 協攻我軍

假道已愚復藉兵, 華人酣夢幾時醒。
明知漲溢韓僑血, 他日橫流入北京。

敵兵 東西挾進 安圖知事 屢請我軍退避 不得已暫移東崗

縣官憂懼敵兵强, 固請移軍別處藏。
實力未完時未到, 不妨暫退向東崗。

聞狂狗入街

1
狗性冥頑猶怕死, 見人虛㥏始猖狂。
勤隨吠響偵行跡, 自有臨時謹避場。

2

元來市虎理無當, 聞者曾傷却恐煌。

禍福皆從身上發, 勿須驚動自招殃。

過宿吉沙河 店主三老 一病眼 一病脚 一病喘 達夜呌苦 不能成寐

雙膝過耳頂在肩, 終宵嗽嗽不成眠。

猶餘少日金神癖, 曉起點燈索飯錢。

梁白堂圭烈書來 言我軍自敦化[59]轉向俄領地

千里氷山路入雲, 無衣無槖度孤軍。

皇天在上垂冥佑, 義士今行定立勳。

59 둔화(敦化)는 중국 지린성 동부 목단강 상류에 위치한 연변조선족자치주에 있는 도시이다.

聽人談白頭山

故人回自安圖縣, 漫說白頭體勢雄。
大陸諸山中始祖, 東洋一局主人翁。
瑞日祥雲環在下, 森林大澤貯藏中。
直到峯顚二百里, 檀皇遺蹟有神宮。

密什哈[60] 步尺西迒懷韻

一重山過一重山, 路盡何時出險關。
壯士悲歌歸海上, 丈人佳約在蘆間。
身如轉木聲先到, 名似流花境不閒。
妻子飢寒靡暇念, 只希東亞好期還。

60 미쓰하(密什哈)는 현재 중국 지린성 화뎬시에 속해 있는 지명이다.

聞羅象淵客逝於吉林

滔滔齷齪今時態, 獨保淳眞太古心。
得一良朋交臂失, 踽凉隻影望鷄林。

吾三兄弟 生同月 季君 又與余同日 往在故國 雖分居已久 每遇晬日 昆季相聚團樂 一自渡滿以來 三鴈分飛 遠者三千里 近者千餘里 吉凶憂樂 無由以相聞 今春季君 自遼中避警 搬接于密哈朴妹兄晩醒僑舍 月初 余又自北臺避擾來投 聯枕數十日 適値生朝 阿姪輩 爲供酒饌 男妹三人 一席團樂 是十年來初有之美況也 第有多少遺憾 時値危難 身處奔迸 不能與同志暢飮 一憾也 晩醒 往吉林未返 二憾也 郵路阻絶 未接仲君安聞 三憾也 咄歎之餘 構一律示季君

六十三旬晬酒回, 今朝感想最難裁。
弟兄差樂聯長枕, 妻子相離阻北臺。
赤手經綸歸畫餠, 白頭愁思坐書灰。
人身自有消長運, 只願新年早到來。

夜半聞鷄

不藉風雲大動機, 孤軍勝敗也難知。
中宵忽聞荒鷄唱, 政是男兒起舞時。

接呂時堂準書

有客新從額穆回, 袖函傳致白園裁。
老伴病寒留八里, 健兒衝雪入城臺。
路標橫貫將鋪鐵, 野田膏沃不需灰。
東崗賊壘依然在, 日肆奸謀欲進來。

晚醒往吉林滿月未回

醒兄不見已三年, 鬚髮知應較異前。
夜誦蕊珠培道力, 朝吞玉液潤丹田。
行穿雪屐吾來矣, 坐去氷車子杳然。
歲暮天寒消息阻, 空勞龜策照章篇。

兒燮 來議搬家 衆論紛紜 終夜未決

氷洋在北火山東, 側立中球四望窮。
吾道難容陳蔡是, 人心已冷越秦同。
魚駭鳥伏生何苟, 虎鬪龍爭死亦雄。
事到再思須一斷, 興亡只可聽天翁。

自密什哈回家臨發示尺西

氷滿前溪雪滿山, 茅簷終日掩柴關。
來去難頻三舍外, 遷移多換數年間。
璋瓦何殊男女慶, 簞瓢賺得室家閒。
村無吠犬林無虎, 大被連旬穩睡還。

踰大嶺到金沙河[61]

江風簸雪積如城, 七步三休四跌傾。
困到沙河三十里, 西峯啣月暮烟横。

過西溝還北臺

三四年前此路過, 山顔溪口記心多。
今來積雪成銀海, 當到門頭未認家。

淡叔 訪我向密哈[62] 中路交違

氷路如繩十字奇, 翁由縱線我横歧。
雙眸注足心懸日, 交臂相違遠後疑。

61 진사하(金沙河)는 지금의 중국 지린성 화뎬시와 20키로 떨어져 있는 곳이다.

62 미하(密哈)는 지금의 중국 지린시에 있다.

中路逢李震山

病滯中途一朔零, 緣何冒險雪程行。
殘絲繫石難支力, 枯木臨風欲仆形。
現在榫街狗出沒, 將來額縣虎縱横。
老夫無敢容私智, 去住惟君自擇精。

送李震山向呼蘭

1
此去呼蘭五十里, 山回谷邃主人賢。
君須歷訪傳吾語, 留攝沈痾好過年。

2
三亭月夜楚江霞, 從古燕南義氣多。
悲歌一曲相携去, 醉臥斜陽劇孟家。

詠月華

1

有一良朋字月華, 慇懃夜夜訪山家。
君姿瀅澈吾懷澹, 相對無言默契多。

2

晨鷄喔喔路熹微, 起撤琴樽送子歸。
到了西峯人漸遠, 徘徊不去故依依。

3

君家佳期每夕張, 何須怊悵別離場。
試看齷齪今時態, 面或相親背便忘。

4

凍雪瀌瀌閉戶深, 思君不見耿余心。
林風一掃陰雲盡, 忽傍書幃笑面臨。

到吉林城

嶺路迢迢電線通, 霜朝馳入吉城中。
高麗舊物山園北, 渤海前塵水逝東。
萬戶樓臺莊雪月, 九街車馬盪雷風。
旅窓暫做鄕園夢, 覺罷猶疑聽漢鍾。

吉林除夕

去年除夕柳河潯, 今夜旅燈臥吉林。
世界黃金能做事, 英雄白髮最傷心。
妖狐北嶼淫氛霽, 瑞鳳東天好運臨。
歌舞春風知不遠, 蜂山壯士莫愁吟。

過山海關 辛酉[63]

汽輪暫逗眼簾寬, 名勝中州第一關。
宇宙如空前面海, 雲烟長鎖兩邊山。
唐宗駐蹕連環古, 秦帝須仙寶鼎寒。
日出扶桑何處是, 狂氛盪漾欲無還。

望萬里長城

費力耗財築土城, 何如團合衆心成。
當年若改牛毛政, 黔首應無赤幟迎。

到天津

落日西峯半隱輪, 一聲汽笛到天津。
樓臺兩岸流金畫, 歌鼓千門送醉人。

---

63 신유(辛酉)는 1921년을 가리킨다.

虹駕長橋排鴈齒, 氷添殘雪射魚鱗。
繁華不管離鄕客, 回首東天感想新。

燕京有感

帯洛襟河枕太行, 膏腴千里古棠鄕。
三重鐵堞圍皇極, 萬國星軺入正陽。
金馬妝臺香靄遠, 清朝陵寢夕暉凉。
盈虛有數難容力, 同族淪亡最感傷。

孫義菴 秉熙 六十一初度宴

一現曇花四八辰, 太陽祥夢降君身。
三傳妙旨人天契, 獨立先聲祖國新。
甘爲同胞投地獄, 重逢舊甲頌華茵。
東方向曙狂潮漲, 遙佇慈航早問津。

乞兒

蓬頭垢面走街邊, 盡日哀呼孰汝憐。
窮途一飯仁心見, 漂母恩堪報萬年。

謁孔子廟

黃瓦龍墀列鼓鐘, 聖祠王禮極尊崇。
如何一夜西風度, 壇杏花無舊日容。

入皇宮

圖書亂鋪文華殿, 鐘鼓無聲五鳳樓。
幼主安知軍國策, 媾和老將弄好籌。

遊西苑太液池

太液晴波漾碧空, 金鰲玉蝀架西東。
我來不及芰荷盛, 只見虛亭鎖五龍。

新世界

銅梯玉檻七層樓, 纔信空中世界浮。
屋頂開花曇彩現, 壁間馳馬電光流。
飛車似鶴磨霄過, 市店如蝸粘地稠。
大抵人工奇莫測, 此身疑夢萬想休。

遊萬壽山頤和園

昆明春水淨如油, 白髮翁來伴白鷗。
瑤龕擎佛仍擎塔, 石舫載人并載樓。
青芝岫古紗籠黯, 玉帶橋新翠輦浮。
帝里如今誰作主, 甕仙一去讖空留。

燕京八景

1. 太液秋波

鏡面澄涵上下天, 荷花亂發夕陽邊。
金鰲玉蝀渾依舊, 不見宮娥拏彩船。

2. 瓊島春雲

金朝遺物李妃宮, 瓊島繁華北海中。
白塔亦知興廢事, 故遮春靄作愁容。

3. 西山霽雪

太行山麓向東馳, 萬屈千盤體勢奇。
最是雪晴朝日射, 星花燦亂白琉璃。

4. 金臺夕照

遺碑三尺古金臺, 石面蒼凉返照開。
若使嗣王能改築, 宗人那敢入城來。

5. 蘆溝曉月

長橋横截大河流, 兩岸蘆花一色秋。
人跡鷄聲霜月曉, 清寒心境畫難收。

6. 薊門烟樹

挾道楓林欲暝天, 薊門秋色上人烟。
俠藪高風何處問, 當年歌筑盡荒阡。

7. 玉泉挺秀

高峯削立出雲端, 下有名泉洌且寒。
向使長卿來飮此, 何憂消渴病除難。

8. 居庸積翠

居庸山勢鎭東球, 雲霧中間積翠浮。
此是精華都萃地, 至今王氣未全收。

北京旅舘初夏偶吟

日氣燕京少適中, 一天陰雨兩天風。
閉門不省花時去, 忽見庭榴大若鍾。

遊城南公園

雩壇春服更天壇, 老栢蒼蒼石氣寒。
晩到水心傾一盞, 半醺頂戴夕陽還。

時局紛糾 整頓無期 決意歸山 偶吟一絶

年少言鋒好極端, 公然地起風瀾。
謙恭不適新時代, 歸去山樊倚枕看。

留贈朴容萬申肅諸友

扶桑紅日照盟壇, 自笑哀齡冒據鞍。
當局易迷先後手, 濟川須識淺深灘。
人心逐面無同處, 世態分岐不一端。
實力未完擔子重, 有初其奈有終難。

燕京歸路遊吉林龍潭山及北山[64]

1

太行歸屐泛昆池, 六朔遊燕眼似箕。

東來飽聞龍潭勝, 及到龍潭未見奇。

2

千年神樹挹婁城, 土坎生泉大澤成。

上有龍王香火閣, 時將甘雨慰生靈。

3

峯回谷轉佛堂幽, 石榻無塵爽欲秋。

歸向北山高處望, 萬家烟火一江舟。

龍杖

古有葛陂仙, 擲杖化爲龍。今遇甕山老, 贈余雕龍筇。

角危抽雙戟, 顙高覆小鐘。蜿蜿黃赤文, 纏繞珊瑚叢。

我聞龍爲靈, 變化自不窮。能隱復能現, 于淵或于穹。

---

64 룽탄산(龍潭山)과 북산(北山)은 지금의 중국 지린시에 있다.

矧人之耄景, 專賴杖策功。 蹩者添一足, 躄者代兩瞳。

際此文明運, 六洲往來通。 不費舟車力, 仗汝任西東。

朝發扶桑下, 夕余臨華嵩。 震霆長畸野, 狂塵一洗空。

嘘雲老白嶺, 甘霈足三農。 逶迤拜玄聖, 翺翔伴赤松。

歸來淸洛岸, 畫角當水中。 閒臥斂神功, 四海靜無風。

十一月十三日 太洋會議 開於米京 正是吾人再動之機 而 自昨秋經劫之後 軍人換散 財力蕩竭 無以自奮 歎咄之餘 吟一律

十年團練犺貅材, 北塞迢迢去不回。

金融蕩涸無源水, 義血寢凉欲死灰。

忽聞海港戍兵撤, 適値平洋會議開。

有志男兒須自勵, 天公續借好機來。

北進軍人權在重 自露領自由市[65]回來 辛酉

雪海氷山萬死地, 砲烟彈雨再生人。
天意分明庸玉汝, 勿須沮退倍加神。

有訪余於隣家者 隣人以不知荅之

客若誠心訪我來, 其能不抱憾情回。
他時有問蘇郎窟, 但指山前白雪堆。

崔鴻基自密山還來[66]

千里氷山冒萬難, 如何生出鬼門關。
精神愈勵愈堅銳, 化作霜鋩牛斗干。

---

65 노령 자유시(露領自由市)는 지금의 러시아 알렉세프스크를 말한다.

66 밀산(密山)은 지금의 중국 헤이룽장성 밀산시를 말함. 원주에서는 신유(辛酉)에 창작한 작품이라고 밝히고 있다.

壬戌元旦吟示尺西 壬戌[67]

六五光陰一瞥然, 窮廬餞迓夜無眠。
齒搖軟飯咀難态, 肩痹重裘着不便。
文字虛名猶有數, 山河偉業大關天。
吾生負債憑誰償, 塘草餘春尙少年。

次尺西韻

耕無鎡器織無梭, 終歲憔憔不老何。
報越苦心薪共臥, 懷殷熱淚麥爲歌。
强權世界黃金盡, 公道人間白髮多。
最是十年初有樂, 棣花陰裏兩聯家。

67 임술(壬戌)은 1922년을 가리킨다.

上元夜

萬兩河頭一草堂, 林翁於此姓名藏。
十年吳越擾攘日, 四海蘇張劇戲場。
雪月當牕心皎皎, 烟霞繞枕夢蒼蒼。
中宵呌過何天鴈, 伴汝同歸到故鄕。

尺西 壁上書揭五絶古詩二首 次其韻述懷

1

十年去國身, 萬里無家客。
先人當日托, 婢負平泉石。

2

范老沼吳後, 蘇郎返漢夕。
人物都改換, 舊面惟泉石。

南溝[68]問舍

聞說南溝產鯽多, 荒田數畝欲搬家。
農言未學長貧可, 越膽空懸宿讐何。
哀殼惻風同病葉, 虛名難網等飛花。
不如萬事都忘却, 手把漁竿浩浩歌。

時堂兄 聞余臂痛轉甚 貽書勸讀易筋經 以詩答之

血痰凝滯病生肩, 喫飯穿衣摠不便。
消息臘三符轉到, 沈吟歲半藥無權。
傷於濕土沈成痼, 垂似枯柯吹欲顚。
指示仙方差恨晚, 恐難收效易筋篇。

68 난거우(南溝)는 지금의 중국 지린성 통화시 통화현에 있는 곳이다.

春雪

終日陰雲紙閣昏, 釀來春雪入簾飜。
悠揚柳絮漫天色, 散落梅花着地痕。
用汝作塩調寶鼎, 嗟吾無麵濟荒村。
東風一過餘寒盡, 愛聽幽泉石底喧。

嚴子陵

嚴陵難免好名疑, 五月羊裘自標奇。
若着簑衣篛笠去, 江湖滿地孰能知。

伯夷叔齊

廉讓清風伯叔均, 首陽薇蕨帶殷春。
試看祖業歸何地, 孤竹祠空有餒神。

和孫眞樵翁永夏寄示韻

異域風霜白髮秋, 鄉山萬里夢悠悠。
田禾引水分魚樂, 庭柳垂陰許鹿遊。
世以腥塵終結局, 人從頹浪欲撑舟。
何時共醉昇平酒, 遼左雲烟一筆收。

觀兒戲

妃頭兒女美如瑛, 夜逐飛螢遶小庭。
捉得一雙粘兩睫, 暗中㕤出使人驚。

沙精穀

沙精穀子間園花, 淺赤深紅發穗多。
長如虎尾垂如綬, 白屋飜成富貴家。

芭蕉扇

蕉扇曾懸宰相衙, 高牙大纛競豪華。
自從墮入山人手, 反向紅塵一面遮。

七夕見鵲

銀河橫截玉橋成, 夜度牢牛織女星。
老鵲不關情會事, 枯梢獨坐噪秋聲。

黃崗冬夜偶吟

1
風威刺骨雪侵壇, 轉輾中宵不着眠。
北走健兒音信阻, 南遊多士會期延。
良平無奈金源涸, 吳魏行看鼎足聯。
對外先要究內力, 成功遲速一聽天。

2

農兵古法極便宜, 五朔猶能學正奇。
白餐堪供朝夕費, 黃冠不怕姓名知。
或追獐鹿試連發, 更向巖阿習突馳。
鍊得一師精銳衆, 天公應借好時機。

有人 言懷通興柳[69]之間 日兵突入 我軍盡被屠戮 盖訛傳也

明知市虎傳言妄, 㧺眼看山摠是兵。
懷通自有華官吏, 肯許倭軍恣意行。

追次安海雲行善六十一晬韻

三唱金鷄以降年, 一周花甲老居然。
棲禽戀故關雲杳, 落葉歸根隴月圓。
仙姥齊眉淸案對, 賢郎舞彩壽觴連。
我來不及餘母舐, 空指香烟寶鼎邊。

69 通興柳는 지금의 통화시와 유하현을 가리킨다.

病中吟

氷滿長溪雪滿山, 病寒嗽嗽掩柴關。
纏巾莫遏偏頭痛, 拭淚仍添兩眼酸。
骨節如將錐末刺, 精神疑向霧中看。
群居不可無醫藥, 生死只爭一瞬間。

輓安行善

蒼古衣冠不飾邊, 十年遼海雪盈顚。
人間萬事遺三子, 蛻却形骸向岱天。

次韻呂時堂

換幕初頭境自新, 農兵非襲簡編陳。
一燈去讀君山夜, 千耦來耕谷口春。
畵餠難療肚子餒, 蜃樓空作眼簾塵。
前途專仗諸君力, 老馬猶存指路神。

除夕次李筱湖沰韻

客中愁思亂如絲, 六五今年又去之。
天地爭雄龍戰日, 江山無主月明時。
萬事不煩抽本末, 一身雖眇繫安危。
新朝須定新籌策, 各竭心誠待好期。

元朝再用前韻示黃友學秀 癸亥[70]

春盤生菜細如絲, 羲御臨門起迓之。
吾與光陰俱是客, 君將材器待斯時。
天心已逐群邪退, 身計何憂七尺危。
太白山人傳寶籙, 丁寧皇祖示前期。

70 계해(癸亥)는 1923년을 가리킨다.

聞李承晩袖印渡洋

有過須要不自文, 天然辭退謝民群。
名壞迹綻無餘地, 忽又何心袖印奔。

六月十六日夜大雨

熱焰三伏間, 四圍紅鑪張。絺衫汗盡透, 團扇風不颺。
忽見一片雲, 起自西北方。須臾蔽牛天, 闪鑠掣電光。
長風振木末, 殷雷在山陽。炎蒸驅去盡, 爽若服清凉。
日暮雨聲作, 始如蠶食桑。漸注似傾河, 破屋漏牀牀。
兒孫來擎傘, 老婦憂頽牆。達曉不成寐, 蛹縮水中央。
何處一聲鷄, 曙色上東崗。開牕視庭際, 净洗無塵糠。
山溪高數丈, 平地可撑航。古有渡海客, 投詩風浪藏。
亦有退潮人, 作頌抗大洋。禿筆無造化, 謾吟韻一章。
書罷水稍落, 釣竿出水傍。

水患後作

滿洲昔日無水田, 韓人始開種稻利。
大川太濶小溝淺, 築洑通澮難稱意。
帝命仙官降恩霈, 九龍已駕阿香車。
滿口吸傾銀河水, 噴下人間雨如麻。
一蓮三晝注不絶, 平地浪高數丈餘。
櫛比閭閻南北街, 簷浮壁沈人爲魚。
冠髻亂噪萍影裏, 水勢連天誰汝拯。
瑤皇頻視宸憂切, 分付梢工棹小艇。
竟日往來不辭勞, 滿載男女移高崗。
須臾水平探使返, 幸我韓僑毫不傷。
但是舟過棹穿處, 禾稼摧損無餘望。
石翁聞比長歎息, 行政正難爲人上。
雨要滋農還害人, 舟可濟人反病農。
縱然上令盡善美, 不僚未必皆得中。
所以上古治洪績, 堯舜爲君禹稷臣。
試看樺甸新太守, 遭患先避不顧民。
更向同胞傳一語, 上天豈眞私吾族。
只爲勤拓關東地, 潛長實力圖光復。

兒變自磐石呼蘭求田問舍而回

往歲曾過集厰墟, 溪流高瀉野平虛。
剽客不來庬睡穩, 官軍罕到鶴糧餘。
近市偏宜時換酒, 臨濠自好靜觀魚。
箇中別有追遊樂, 韻友棋朋接閑居。

辭督辦

擡擧隆崇督辦名, 毫無權利謗車盈。
今朝解却重重縛, 從比江湖掉臂行。

失睡

老人無夜睡, 僵臥但燃茗。
衾厚透風冷, 牕深借雪明。
衰肌搔復癢, 閑思斷愈生。
忽忽方交睫, 隣鷄又一聲。

憶故山因次伴鷗亭板上韻

萬點青山簇佛頭, 中交二水艮坤流。
孤舟傍岸斜陽滿, 官渡連郊碧樹稠。
夢裏難忘花石誡, 天涯倍切海桑愁。
澄清會有還鄉日, 先報波心等待鷗。

次尺西夜坐書懷韻

太山雖大起纖塵, 寸積銖加境日新。
義理蚕微休執拗, 英雄麕集孰知眞。
庖牛已入恢恢手, 蒭狗甘抛碌碌身。
緩急雙需生聚計, 只憂誠乏不憂賓。

吟示尺西

風雪長郊沒牛身, 天天論事往來頻。
如今年少英雄世, 肯數山間白髮人。

憶白園 白園時堂一號

風雪沿江撲面颸，白園歸旆向黃岡。
時憂共笑雙爭虎，世路多艱九折羊。
年少言鋒傷太銳，老成籌策貴周詳。
人望彼岸無由到，早返慈航涉大洋。

郭家屯[71]搬寓

呼蘭西北郭家屯，傍水依山屋數椽。
楚漢風塵棋局對，唐虞日月酒盃禪。
抛他世事委高手，樂我天倫送暮年。
野有香蔬溪有鱖，桃源何必羨神仙。

71　郭家屯은 지금의 중국 지린성 판스시(磐石市) 후란진 서북쪽에 위치한 곳이다.

滿洲紀事[72]

1

十五年前渡鴨江, 男兒壯氣血盈腔。

自來軍國無經驗, 三島如將一鼓降。

2

鄒街結社衷心堅, 耕學雙方趣旨全。

精神盡注新興塾, 養得貔貅過半千。

○辛亥夏 結耕學社 設新興講習所 以軍師學術 教鍊靑年

3

靑山無稅土心肥, 一斧生涯去斫菑。

纔過未年嬰碧疾, 仙方未學塚累累。

○壬子間 以山田開荒 費省而利多 貧僑盡入山林 未幾惡疾熾蔓 死已殆盡

4

滿人不解水田農, 租借荒郊種稑種。

---

72 「滿洲紀事」는 이상룡이 25년 간의 자신의 독립운동을 한 편의 시로 압축한 자전적 시라고 할 수 있다. 특히 1911년 망명한 후 경학사와 신흥강습소의 설치, 농업 경영, 부민단의 설립, 자신계 조직, 1918년 생계회 조직, 1919년 3·1운동과 1920년의 북경군사통일회, 1923년의 국민대표회 그리고 서로군정서의 회의 개최 등을 열거했으며 독판직 사임후 백수가 되어 강호에서 낚시나 하겠다는 뜻을 술회한 것이다.

秋來白飯兼魚饌, 生氣方回面上彤。

○自甲寅春 始租平地 作水田種稻 疾病漸息

5

盤沙無計法團成, 開導愚民責不輕。

局部相群君莫呵, 先分後合是常經。

○耕學社講會後 各以局部團結 爲分治之制 於是異己者 頗興謗議

6

山泉蒙養古今均, 八歲踉蹌俊秀民。

小學機關三十處, 一時文教亦云彬。

7

政府規模自治名, 三權分立倣文明。

也知嫫母非西子, 捧腹終難美態成。

○丙辰設扶民團 爲統合自治

8

新成株式立財團, 出納專權任計然。

緘縢扃鐍終何恃, 三復南華胠篋篇。

○自新稧內 置株式新成號 頗希進展 一經敵劫盡歸水泡

9

羊虎難分志士多, 吉垣生計一番譁。

枉尋直尺鄒賢戒，白日終看露鬼魔。

○戊午 設生計會於吉林 以鄭立輩潛通日本之故 旋即廢散

10

三一宣言獨立聲，滿洲軍府首懸旌。
終焉致敗明如火，大義關頭敢不鳴。

11

新開南北幅員長，更占安圖備後藏。
潛滋實力三年過，擬與天驕決一場。

12

一夜狂風浪拍天，梢工回棹急移船。
中流又犯瞿塘險，漂散全軍黑海邊。

○庚申冬 敵軍犯安圖 我義勇軍退避 向北轉入俄領自由市

13

燕京會議志更張，聲討文傳黨叫狂。
試問通治委任願，何殊保護藉隣邦。

○辛酉 開軍事統一會於燕京 聲討李承晚委任統治請願事 自是擁護黨幷起 紛爭劇熱

14

爲定紛拏國會開，扶桑日望曙光回。
無端改刱閒爭競，擡出蝸牛兩角來。

○癸亥 開國代表會於上海 以改造刱造紛糾更起 竟至兩政府現出

15

立地無偏是丈夫, 他時匡合等爾吾。
甘心妾婦求容悅, 竊爲諸君媿尺鬚。

○是歲秋 開本署議會於樺甸 議決宣布中立不偏之意 竟爲一二職員小沮盖出於袒護一偏之見也

16

吾非勇士是書生, 事業難期智力成。
白首風埃還自笑, 扁舟歸釣五湖汀。

次韻示申肅黃學秀李青天諸友

運會初頭甲子春, 天心世事一時新。
燕雲護送屠龍客, 渤海來尋捫虱人。
溪破殘水呈劒筑, 山留點雪洗埃塵。
除非實力無他術, 種得眞因結果眞。

與黃夢湖共賦

十載窮僑坐不東, 吳薪越膽與誰同。
皇靈佑我山長白, 刧火燒渠地遍紅。
流水善鳴風蕩後, 纖塵淨掃月當中。
看君脊骨硬如許, 確信前途大有功。

再拈各賦

呼蘭河畔小茅廬, 斷續炊烟客到初。
醉後時歌諸葛表, 閒中仍閱漆園書。
黃金四萬斤誰與, 白髮三千丈有餘。
事業明知時尙早, 江湖歸臥計非踈。

白園兄有除夕詩寄 示次韻以呈

屠蘇酒注細如絲, 悄坐寒燈獨酌之。
天上羲和迎送夕, 人間范蔡去來時。

神皇寶甲檀春返, 赤子呼庚蔡色危。
退院老僧心已寂, 萬緣都付臘三期。

思故鄉

上章八月勒約成, 韓人痛哭日人歌, 志士義不食周粟。
採薇何處首陽峩, 句麗舊疆今滿洲, 人稀政好貧民植。
土沃還宜實業籌, 長歎一聲辭故國, 樸面風雪三千里。
澤泊桓通柳海間, 貰屋斫荒插妻子, 躡後同胞來未已。
絶似豳人漆岐下, 勸業設校倣新式, 頭緒畧整耕學社。
誠心割私補公益, 民族精神亦堪誇, 養得貔貅近千丁。
文武全才言非夸, 內力未充時機到, 獨立義聲動天地。
三浦首建軍政府, 各團相繼起竪幟, 長槍大戟森如竹。
一鼓將渡鴨綠水, 敵人潛賂華官吏, 啣枚進襲七縣壘。
戰守兩難避爲策, 機關流遷松江阿, 健兒先遣據安圖。
轉向俄領莫斯科, 須臾適退金隨盡, 强弩末世誰復振。
歲月易逝功成晩, 秖恐簣土虧九仞, 我是文人非武士。
太山豈合委僬僥, 遂草一書辭責任, 退臥呼蘭混漁樵。
默數吾齡六十七, 兩脚痲痺鬢雪飄, 藉享人間中上壽。
崦嵫前途能幾遙, 廿世先廬清洛岸, 廟門空鎖香火廢。
丑君明年一周甲, 面貌依稀信書闋, 大義未伸私情闕。
一朝溘然恨奈奚, 思來思往耿不眠, 牕月西傾子規啼。

釣魚次淡叔韻

無時無處此翁漁, 日向江干上下於。
文章窈娩鰲頭客, 際會難期鯉腹書。
細泡吹起知來也, 浮子傾沈喜躍如。
箇裏眞眞濠濮想, 傍人休笑我非魚。

放魚

關山夜雨過, 蘭河一尺肥。
携竿下長浦, 風靜露已晞。
白鷗先見我, 驚起樹稍飛。
裝餌投小鉤, 寂寂坐苔磯。
細泡瀚瀚起, 標稈動微微。
趦趄不肯吞, 物性故多疑。
浮沈自有準, 緩急勿失機。
長綸忽上來, 銀鱗尺有奇。
潑潑臥草際, 地面生光輝。
歸家切作鱠, 可佐一膓巵。
秋江淨如洗, 頫視心自思。
釣水要取適, 吞餌爲充飢。

適極機心動, 飢來貪性滋。
遂至白日下, 一欺一見欺。
詭遇吾非正, 殉身爾亦癡。
不仁與不智, 其道一般危。
念此心惕惕, 還放水之漪。
逝矣勿遲留, 網者爾後隨。

次李學源能白東菴幽居韻

蝸廬新縛借鶴林, 免被瘴鄉濕冷侵。
徑積落花風掃去, 門停流水月來沈。
衰年筆硯課孫樂, 遙夜簫歌望國心。
寄語仙禽勤報客, 扁舟早晩雪中尋。

秋風扇

炎炎火傘滿天燃, 扇子當時獨擅權。
翛然一夕凉風至, 斂却偉功寂寞懸。

中秋上旬夜示尺西

前期末易兩衰年, 積擬君行莫遽旋。
冒雨摘來黃稻粒, 沿溪鈞取白魚鮮。
民群統合關時運, 家族團圓有定綠。
仍憶葡山明月夜, 孤鴻失侶叫霜天。

九月十三日 族祖德淵鐘基李學源來訪 三人作伴 因向集廠子 訪李竹史顯榮菊史□榮

蕭蕭落木九秋天, 老伴相携步屧連。
酒止微醺方識趣, 詩臻妙唱便稱仙。
青山自喜分隣局, 白髮無綠返少年。
一曲淸商何處奏, 竹林館外菊花前。

更拈濂洛風雅九日登高韻

白髮蕭然我亦秋, 追携詩酒幾時遊。
芳隣限不分三逕, 同族尤奇聚八州。

北地寒風催病殼, 東天明月惹鄕愁。
衰年一樂非容易, 請看蘭河日夕流。

偶吟

誰將大箒掃天星, 聚作囫圇一塊形。
依然箇體藏芒角, 不似氷輪表裏清。

十月十日夜大風飜空荒鷄亂唱

呀然萬竅大風噓, 聲浪偏多水上廬。
壁炬亂如長掣電, 紙牕豪似善鳴驢。
難成睡夢頻燃草, 未斷災祥遍閱書。
月上須臾天籟息, 又何鷄響二更初。

次李學源寄示韻

窮山無伴向誰求, 伐木聲中境自幽。
歲儉偏知時態變, 年衰益覺此生浮。
未償宿債添新貺, 欲說前期憶舊遊。
安得明春團一處, 綠楊分作兩家樓。

甲子生朝吟示尺西

歲戊尤奇晬日同, 十年先後作衰翁。
愁邊鬢髮千莖雪, 病裏筋骸一葉風。
隣寓歡情無遠近, 貧家小酌有凶豊。
最憐禮拜葡山屋, 長禱阿兄壽域中。

冬至夜口占

窮陰凝閉雪崢嶸, 忽聽雷聲半夜生。
人心善惡幾初動, 天道消長象已呈。
西界狂塵雙虎鬪, 東隅曙色一鷄鳴。

無情最是星星髮, 斷送韶華不復榮。

和淡叔次成三問夷齊廟韻

獨夫商受國君非, 除暴義旗瑞日輝。
不念垂民宗一姓, 子家忠僕墨胎薇。

除夕次尺西

1

今年又覺昨年非, 人盡豪英我自非。
隨分江湖閒者做, 也應無是亦無非。

2

有口皆爲警世鍾, 滿場聲浪海潮同。
塵箱古物誰論價, 自在逍遙六八翁。

3

孰造人間孰造人, 芬芸迹相揔非眞。

休將鏡影生嗔喜, 自有惺惺不老神。

4

不度天時自任輕, 十年今夕悔心萌。
誠關以外無他道, 寄語來人莫妄行。

次淡叔

一年今夕已成功, 來者知應去者同。
食力寒僑長役役, 憂時嫠婦謾忡忡。
心如宿鳥多歸夢, 身伴殘燈慟遇風。
安得超然遊物表, 眼看禪代作仙翁。

元朝次淡叔 乙丑[73]

1

送舊迎新六八年, 一回怊悵一歡然。

---

73 을축(乙丑)은 1925년을 가리킨다.

愁山萬疊隨風到, 喜礮千門待曉傳。
夢罷家鄉偏感客, 老憑詩酒强稱仙。
諸君莫歎成功晚, 會有浮時水到船。

2

椒醅鷄炙爲迎新, 紅紙題聯戶戶春。
天度一年初到日, 鄉山萬里未歸身。
農家熯潦看雲氣, 命裡災祥質卦神。
更喜前溪氷早解, 鱖魚受釣作閒人。

竹史兄生朝 有書相速 因雨戲不果赴

曾向牆東隱此身, 喜同元八接芳隣。
華筵擬獻南星畵, 珍帖還招北海賓。
一粒金丹誠有分, 五更寒雨政愁人。
沒脛泥塗違對晤, 前期留待綠楊春。

釣魚

日日携竿向水隈, 銀鱗跳處浪紋開。
非吾故意殄天物, 魚自貪餌上鈎來。

仂月望 曹樵隱相鳳 鄭晦汕寅憲 來訪 因與村裏諸老伴 携手沿河 逐日團欒十八日 抵李竹史家 會者凡九人 晦汕搆示一律 遂次其韻

江天如洗日如年, 九老聯襟講宿緣。
佩贈河蘭香不辨, 筵隨堤柳醉同眠。
鳥替笙歌鳴樹裏, 魚驚簑笠隱葭邊。
諸君莫歎滿洲苦, 此會猶堪好事傳。

端陽 設耆老會於竹史家 會者又九人

1
人生白髮已斜陽, 況復殊方客感長。
竹逕三三同我友, 蒲樽五五爲誰香。

風流邈矣耆英會，妙句工於時世粧。
醉拂羊裘歸澤畔，少人知道是嚴光。

2

佳節人間五五陽，紅榴花發綠蒲長。
公子生齊聲價重，忠臣去楚姓名香。
詩酒風情嗟我老，溪山物色爲誰粧。
但得偷閒須盡樂，滔滔不駐是流光。

次趙瀛洲連海

山市沿溪大隱宜，囂塵不許上鬚髭。
少陵太瘦緣詩苦，端木通才殖貨奇。
友貴神交無待面，里欽仁俗喜占基。
參橫月落梅花夕，肯顧林樗擁腫姿。

尺弟家阻雨

沿溪垂釣到君家，信宿三宵雨似麻。

屋漏傾時宜聽瀑, 庭泥滑處欲生波。
行人未歸中途滯, 隣友相招背約多。
安得能天造化手, 抉開雲漢露光華。

聞尸君 於門外起钓臺 吟寄一律

聞子門前築鈞臺, 未臨濠濮眼先開。
堪遮刺面朱陽熱, 不怕沾衣細雨來。
二時大嚼生涯足, 萬念俱空境界恢。
明朝我亦携竿去, 兄弟聯磯醉一盃。

滬信後 尺弟 搆二律以示 次其韻

1

誰遣槿花植滿洲, 分明天意降新休。
蒙羞越客堆薪臥, 報國韓人杖劒遊。
龜背刮毛徒費力, 猴場學舞別生愁。
時機已過群英老, 何日戎衣壮績收。

2

負債人間積似岑, 居然七十鬢霜深。
淆風昨日猶淳古, 前路高山去益今。
一線烟波忘世事, 孤舟明月望鄉心。
鳴騶入谷塵纓縛, 多愧淸標潁水潯。

天津 上華艦愛仁號 向滬

滿滿人千貨萬輪, 船如鯨走海無洲。
曉發天津三日滬, 平生壯絶冠玆遊。

海港待潮

氣吐長虹海若來, 群船停待一齊開。
莫道時間差晩了, 也應潮退到烟台。

山東海遭風

山東海路最多艱, 風浪飜空噴雪山。
泛入水天相接處, 此行應占上仙班。

風浪危險舟中戲吟

帝遣黃龍試禹船, 中流發歎至今傳。
豈是聖人心不懼, 力難容處只聽天。

船利渡海

洋製三層鐵甲船, 深如齋閣穩如氈。
風雷震盪魚龍國, 烟霧橫貫日月天。
泛外鵬程青九萬, 艙間鶴髮白三千。
傍人莫道多危險, 一吐無妨氣浩然。

愛仁艦非久將老廢

吾人居此世, 如艦在瀛中。受藏稱器量, 來去任天工。
行程萬里遠, 壽限百年空。老至終須廢, 無忘普濟功。

印度公園詠鶴

深赤頂毛淺白衣, 學仙千載化令威。
塵勞脫盡緣何痩, 明月遼天未得歸。

輓朴白巖殷植

飄然一葉轉風前, 薪膽生涯數十年。
思庇寒人無廣厦, 喚醒頑夢有長椽。
棋殘半局神逾旺, 酒遜三盃德益全。
限盡當歸歸底處, 狂塵不到帝鄉天。

仲弟健初 六十一初度晬日 在十一月四日 萬里相望 無由致身同慶 遙寄一律壽之

青牛寶籙遠難尋,(青牛乙丑也 唐書云 隴李系出老子)
塢竹餘叢舊甲臨。
合講儒耶門路濶,
先憂民國鬢霜深。
夢中仙鹿宜長壽,(先妣夢鹿而生君)
膝底祥鸞又好音。
假我十年生返故,
人間兄弟再聯襟。

棄職 歸路遭亂 滯天津

風波萬里涉重溟, 纔到天津又戰聲。
環街警守留行客, 沿路瘡痍見敗兵。
書緘無計傳東省, 車斷何時進北京。
借閱新聞嫌細字, 眵眸掛鏡就聰明。

次韻示南友亨祐

南浮滬海北燕天, 底意棲遑不煖筵。
萬事無成身已老, 十年長嚙膽猶懸。
膏車上坂思前轍, 掛帆中流認快船。
呼馬呼牛都可應, 只稀吾族合群圓。

次南友古槐韻

1
一樹高槐倚半空, 門頭迎送守閽同。
春分柳岸欽陶節, 地借棠鄉仰召風。
蟻穴虛榮頃刻夢, 鰲扉餘蔭子孫躬。
吾行適値天寒日, 未見花黃葉翠容。

2
隱蔽千牛巷不空, 瘦顔半老主人同。
蛟龍影轉枝迎月, 竽瑟聲高葉戰風。
地勢偏臨卿相路, 天年自保棟樑躬。
偶來樹下盤桓久, 多愧林樗擁腫容。

除夕見一松書

西城除夜電燈明, 紙礮聲中萬念横。
一震難壞塵世界, 千呼不起睡神精。
死生亦大民奚罪, 内外相聯黨可成。
郵吏來傳同志信, 樺磐有事速回程。

元朝 丙寅[74]

春酒春盤細菜崇, 宣南別墅大街東。
頭邊白積遼天雪, 胸裏青貫易水虹。
阻絶兵戈留寓客, 瞻懷林壑賦歸翁。
新朝祝禧無他語, 結社團圓宿憾瀜。

74 병인(丙寅)은 1926년을 가리킨다.

次南友除夕韻

電燈無焰漏籌忙, 孤坐燕城客感長。
天道遞禪時有定, 人群爭奪事非常。
妻孥臥病家千里, 軍國委身海十霜。
紙礮驅魔魔去盡, 春王新曆啓東方。

正月七日

牕面玻璃射太陽, 滿牀寒意頓然藏。
占家人日傳方朔, 韻裏梅花憶草堂。
兒病漸差書信到, 稚孫善茁技能長。
如何插翼身飛去, 哄笑轟談樂一場。

逢春戲吟 在燕京時

春風來自海東方, 歷路應由我故鄉。
五柳門前先報信, 十梅軒外暗傳香。

愁多未就詩千軸, 囊碣難酬酒一觴。
弊屋蘭河饒雅趣, 歸時重訪好徜徉。

次陳克己梅花韻

忽見梅花憶故鄉, 滿庭疎影月昏黃。
林翁去後無人管, 空向池臺送暗香。

輓孫中山先生 代北京學生會作

推翻獨裁帝制, 爲東洋革命領袖。
提唱三民主義, 啓後日大同基礎。

還山後作

秋月要人輕出戶, 春風作伴好還家。
山嗔水怒多猜局, 笑面相迎獨爾花。

九日謾吟 丙寅

往歲重陽竹史家, 團圓九老醉黃花。
今秋無菊又無酒, 獨掩柴關件睡魔。

和寄李竹史

萍蹤漂泊任西東, 老別無緣更會同。
長夜相思江月白, 佳辰虛負岸花紅。
夢舒情話非眞境, 口報安音少實功。
望外瓊章來墮手, 爽然如灑竹林風。

丁卯元朝 丁卯[75]

椒花香發祝禧盃, 七十元朝又到來。
衰病自知前道窄, 夢魂猶喜故鄕廻。

---

75 정묘(丁卯)는 1927년을 가리킨다.

一飜一覆英雄局, 愈出愈奇演舞臺。
安得龍江閒靜地, 早搬家族此中栽。

奉和韓東海震山

有一士兮東海灣, 學得仙方煎九還。
是時靑丘狐群據, 八域盡入迷魂關。
物外遊蹤人莫識, 十年枉搜毉巫山。
一夕遇之燕南市, 相視無言笑滿顔。
壽民神丹藏袖裏, 斬妖寶劍輝腰間。
中流擊楫時尙早, 孤舟繫岸盡日閒。
天道循環無暫息, 幾度春風回古檀。
老夫只願舐餘鼎, 化爲鷄犬隨劉安。

寄尺西 丁卯

先搬要做後搬機, 窮鬼揶揄萬事違。
七十衰齡分別苦, 二千餘里信書稀。
携竿老伴君猶適, 閉戶鄕隣我孰堪。

羨松花江上鴈, 一行飛去一行歸。

吟寄淡翁叔

澹翁北向湯源遊, 千里乘車千里舟。
始擬求田耕谷口, 終教垂釣坐灘頭。
全枰瓦解人爭噬, 積債山齊歲不收。
安得此身生羽翮, 翩翩飛去黑龍洲。

和寄李晚樵

藍山分袂十年餘, 各閱風霜幻劫如。
鬼魅縱橫寧閉視, 形骸痿廢可閒居。
音憑簡面傳難細, 夢見芝眉覺便虛。
安得僑居同一閈, 頹齡重理舊琴書。

丁卯除夕

六十年前丁卯運, 我家光景正無虧。
高堂慶賀觥千壽, 上舍恩榮笛一枝。
世業隳壞天敢怨, 殊方流落歲頻飢。
旣衰且病吾靡及, 只望兒孫福若茨。

玻璃河次幽居韻別洪載逵 戎辰

逶迤峽路訪仙區, 家在玻璃水上頭。
黃稻秋成閒趣味, 紅樽時過好朋儔。
浮生八十渾疑夢, 故國三千莫謾愁。
衰暮前期知未易, 相思他日信書修。

次韻寄孫眞樵

1

秋箑夏裘節已違, 舊人須與舊人歸。
神龍失運潛雖伏, 白雪登調和者稀。

東道公評賢主在, 并州孰謂故鄉非。
化翁不傳吾身翼, 入望蘭河未奮飛。

2

遼左盡相知, 眞翁最所思。
青山捫虱語, 黃卷聽鷄時。
性懶書音絶, 路紆夢會遲。
前期難指定, 三復隱候詩。

舍弟尺西君晬朝吟寄一律

黃龍瑞運降仙董, 兄弟尤奇晬日同。
治吳覇越英雄志, 釣月耕雲逸士風。
春秋六一兕觥凸, 陸海三千鴈路窮。
焉得早成團聚計, 姜肱大被樂融融。

次尺西興仁屯新居韻

1

立無錐地臥無廬, 遷徙年年不定居。
國恥未湔身已老, 家貲蕩盡債猶餘。
違時墳典藏何用, 取適漁竿任所如。
惟有弟兄同被樂, 忽然分別竟歸虛。

2

剪去荊榛縛小廬, 梧桐河畔送君居。
一般孤寓隣相好, 千耦同耕地有餘。
男女通科私塾在, 鄕屯自治小邦如。
愚兄癃病囊金乏, 團聚初心恐擲虛。

贈別李法五羲中 庚午

先契追惟閣上詩, 吾儕同閈亦云奇。
三千異域分甘苦, 八十頹齡遠別離。
自歎生前難再會, 誰云泉下有前期。
鷄聲落月釵山路, 魂去魂來夢還時。

搬寓小城子

舒蘭南界小城子, 金代繁華證古墳。
磵水不寒宜釣月, 石田雖瘠可耕雲。
鄕規自理民刑事, 塾制兼修國漢文。
茆屋三間書一架, 林翁隱此避塵氛。

華孫往磐石過期不還

華孫磐石去, 過月未還家。
稚病危於髮, 旅愁亂似麻。
郵厢朝檢信, 燈架夜占花。
南路多機穽, 須防暗弩加。

冬夜靜坐

風牕氷壁野中家, 獨坐寒宵等槁查。
自信靜功參造化, 丹田漸暖放春華。

曾孫道會 六歲 頗穎悟 試之以書 能解五百餘字 把筆成字樣

六歲小孩偏嗜書, 能通漢字半千餘。
箕裘世業吾身替, 重擅文聲倚望渠。

臘二夜聞荒鷄聲

呼童退燭已鋪衾, 忽聽隣鷄亂唱音。
半年憂病摧沮盡, 無復英雄起舞心。

齊溥泉遇周 約余九日登高 等候不至 似是時擾敗興 因以一律仰塵 辛未[76]

秋風嫋嫋葉辭枝, 獨坐山牕待友時。
白酒寒於燕暮市, 黃花淡似晉名詩。
八旬臥病餘暉薄, 萬里懷鄉歸夢遲。
世事談來心緒亂, 不如長飮醉無知。

次韻呈齊溥泉

齊翁詞賦擅關東, 筆底泱泱大國風。
衰鬢應從書卷白, 韶顏不借酒盃紅。
逍遙靜界超凡累, 打破愁城賀偉功。
我亦耽佳緣性癖, 願追高手唱酬同。

---

76 신미(辛未)는 1931년을 가리킨다.

齊友 贈古篆七字 以詩謝之

銀鉤銅索闇生華, 紙面蒼然古色多。
欲謝黃庭書贈意, 山陰道士歎無鵝。

誡孫兒 壬申[77]

發洩無眞氣, 宏深有容量。
勿輕聽人言, 毋自衒己能。
剷去虛榮心, 謹避危險場。
守静玩世變, 確見可而行。

77 임신(壬申)은 1932년을 가리킨다.

이욱(李旭)[78] 편

臥龍山[79]

臥龍山色從雲遠,
豆滿江聲隨風高。

暮春[80]

萬里江山春慾暮,
琴書相促□蘭開。
苦非紅雨三春去,
那得綠波一笛來。

---

78 이욱(李旭, 1907-1984)은 1907년 7월 25일 러시아 연해주 신한촌(일명 고려촌)에서 태어났으며 1910년 중국 화룡현으로 이주했다. 1924년 「생명의 예물」을 발표하면서 등단했으며 1937년 7월에는 『조선일보』와 『조광』지의 간도특파원을 맡고 기자 겸 신문잡지의 발행에 종사하였다. 광복 후 계속 중국에서 살았으며 1951년 11월에는 연변대학 조문학부에서 교수를 담당했다. 그의 시집으로는 『북두성』, 『북륙의 서정』 등이 있다. 여기에 실린 이욱의 한시는 중국 연변에서 발행한 잡지 『문학과 예술』(1987년 9-10)에 수록되었다.

79 출전 미상이나 중국 화룡현 강장동 서당에서 13세에 지었다고 전함.

80 1924년 辛酉詩社 詩會에서 읊었다고 전함.

暮春

西山紅鏡般勤態,
返照東天石塔何。
風景如隨春暮盡,
斜陽那肯映梅花。

登仙境臺

(一)
名山去俗情, 好鳥接賓鳴。
雨後仙臺月, 風流任我評。
(二)
絶壁靑天柱, 斷霞大壑崇。
寒泉聲翠落, 古木影斜?
(三)
雙岳雲端出, 卷松月下鳴。
洞天村輿上, 石室野竟行。
(四)
岩嶂長城陣, 松濤弈雷聲。
山因雲臥秀, 湖爲客游名。

1936년 가을 지음.

夕陽

斜陽紅鏡慇懃態, 返照東天倚戀心。
夕靄垂山千貫玉, 暮暉落水一場金。

1940년 가을 지음.

漁翁

江岸柳枝擊小船, 蓑衣自酌酒中仙。
水光如月心如錦, 翁放漁歌且弄絃。

1943년 여름 지음.

이정(李楨)[81] 편

陣中吟

木落山容靜, 天高月影肥。

壯士意萬馬, 待旦夜漫長。

哭白冶[82]

一別英姿五六年, 凶音忽報漢陽天。

白岑論劍渾如夢, 赤塞同袍已斷緣。

大業未成新世界, 芳名早震舊山川。

臨風灑盡千行淚, 斯淚應流撤九泉。

---

81 이정(李楨, 1889-1942)은 호 晦峰이다. 1920년 전후 북로군정서 총사령관 김좌진의 비서관으로 활약하였다. 그 후 헤이룽쟝성 동경성에 대종교 천전을 세우려다가 일경에게 피검된 후 옥고를 치르다가 사망하였다. 그의 한시는 1920년 10월 하순 청산리에서 멸적의 매복진을 쳐놓고 일군이 오기를 기다리던 시각에 읊조린 시편으로 알려지고 있다. (출전: <우등불. 이범석전>에서)

82 白冶는 김좌진을 가리킨다. 이 시는 『동아일보』(1930.2.19.) 詞藻란에 晦峰 李楨 작으로 게재되었다.

哭丹齋[83]

冷獄枯屍化燼骸, 東歸穉子弱妻偕。

若令當日遺言在, 故國青山不願埋。

文星昨夜落遼西, 上黨愁雲日慾迷。

五十七年誠短命, 槿邦誰復更燃藜。

83 丹齋는 신채호를 가리킨다. 이 시는 『동아일보』(1936.3.8.) 晦峰 李楨 작으로 게재되었다.

장소석(張素石) [84] 편

望鄕

楊子江頭雨乍睛, 暮煙衰柳便無情。
此身願作風前矢, 直到漢江一羽輕。
眼際樓邊地極無, 水平海遠一帆孤。
夕陽萬里天空闊, 望望徘徊惟獨吾。
雲山茫漠水如天, 日暮樹風秋信傳。
萬里河槎愁思極, 一聲歸鴈去無邊。
黃昏碧樹一孤樓, 滾滾長江空自流。
故國山川今已遠, 愁添別恨秋更秋。

84 작가의 신원은 미상이며 이 시는 滬上過客 張素石의 이름으로 『개벽』(1920.11.1.)지에 게재되었다.

전덕원(全德元)[85] 편

守國魂

家敗國亡軍亦敗, 今拘此獄豈偶然。
寧爲死節韓家鬼, 不欲歸降對一天。

85 전덕원(全德元, 1870-?)은 조선 평안북도 용천에서 출생했으며 호는 湖隱이다. 1912년 중국으로 와 조맹선 등과 함께 조선독립단을 조직하였으며 1923년 통군부의 재무부장을 담당하였고 그 후 의군부의 군무부장을 지내면서 조선에 잠입하여 일제 관청을 습격하다 체포되어 12년형을 겪었다. 출옥 후 초지를 굽히지 않고 항일 운동에 전력하다가 다시 피검되어 옥사했다. 이 한시는 『독립군시가집』(송산출판사,1984)에서 뽑아낸 것이다.

정우관(鄭宇觀)[86] 편

燕行雜詠

[別漢城諸友]

三盃盡醉君何惜, 明日正當遠別憂。
黃葉是亭同洒淚, 春風何處獨登樓。
劍磨故國十年恨, 車斷遼東千里秋。
從此相思天外夢, 月明應渡鴨江頭。

[過東三省]

遼鶴不歸今幾年, 亭亭華表立寒烟。
山河不載九州鼎, 日月長縣三韓天。
秦廷無人完白壁, 齊壇何日返汶田。
檀君遺跡誰能記, 回首東望思漠然。

[過山海關]

鐵車滿載故園憂, 橫斷遼東投薊州。
千年白草長城老, 萬里黃雲大漠愁。
關山日落吊秦帝, 戎馬風高思漢侯。
堪歎明臣無遠慮, 開門迎虎欲何求。

---

86 작가의 신원은 미상이며 여기에 수록된 「燕行雜詠」의 12수의 계열 한시는 『조선일보』(1924.6.13.) 詞藻란에 게재된 것이다.

[留燕]

風塵驅我走南北, 又落燕天秋氣清。
王孫恨與煤山老, 壯士悲歸易水鳴。
浮身四海羞難洗, 磨劍三年事未平。
旅舍無眠獨起坐, 蕭蕭落木送殘更。

[秋夜]

與君共在仲宣樓, 此夜西風最不休。
四壁殘燈圍客夢, 孤城暮角引鄕愁。
白醪更釀千盃月, 黃□初供一穀秋。
杳杳故園南下路, 行雲征鴈自悠悠。

[寄友人]

同是天涯失意客, 相逢不語相沾襟。
齒空猶保罵讐舌, 髮白難藏憂國心。
客子十年抛楚淚, 王孫何日築燕金。
故園雖有田廬在, 豈忍歸編梁甫吟。

[吊金茂園先生]

故國更無乾淨士, 薤歌何日是歸時。
遺恨東塡精衛海, 孤魂春托杜鵑枝。
斜月遼天人已去, 西風原上樹空悲。
應將此世不平事, 說與天公細細知。

[弔金茂園先生]

因何憔悴又何病, 生死不離檀樹陰。
老天不借報吳日, 大地難埋興漢心。
遺戈雖存更誰枕, 磨劍尙存應獨吟。
回首豈堪望故國, 西風落日涕沾襟。

[弔金茂園先生]

九月聖山何處是, 應随檀帝作神仙。
首陽薇蕨伯夷糧, 栗里春秋靖節年。
百歲經營沈恨海, 半生歷史問愁天。
願將同胞無窮□, 更□先生未盡篇。

[答友人]

西風獨自上城樓, 思君不見淚空流。
送別百年人易老, 干戈萬里世多愁。
客思木落燕京夜, 鄕夢雲迷鴨水秋。
東土煙塵何日靜, 遠書使我恨轉悠。

[北京]

干戈四海亂紛紛, 獨戴南冠誰與群。
鴻瓜北留燕市雪, 魚書東渡鴨江雲。
不堪夏曆添新恨, 莫使華音問故君。
挑盡殘燈夜已半, 曼聲一讀思鄕文。

[歲暮]

故園消息近何似, 客中又見東風歸。
身隨北鴈家何在, 信隔南梅歲已非。
明年更與愁相約, 此日那堪少漸違。
前路茫茫無限事, 黃河終有可淸期。

조병준(趙秉準)[87] 편

籠中鳥詞[88]

籠中鳥籠中鳥,
給爾飮給爾啄。
遠爾害保爾安,
胡爲乎朝朝悲鳴耶。
天空萬里任翺翔,
一入籠中不自由。

---

87 조병준(趙秉準,1862~1931)은 평안북도 의주 출신이며 자는 유평(幼平), 호는 국동(菊東)이다. 조선 말기의 의병장이며 독립운동가이다. 1910년 국권이 상실되자 다시 의병을 규합, 창성의 일본헌병대를 습격하는 등 항일전을 전개하다가 중국으로 망명하였다. 1919년 4월 중국에 있는 각 단체대표 560명이 유하현 삼원보(柳河縣三源堡)에 회동해 대한독립단(大韓獨立團)을 결성하고 총참모(總參謀)에 임명되었으며 내몽고지역 의민부 총재로서 한국 독립의 기운과 불길이 중국에서 타오르도록 만들었다. 1931년 10월 중국군과 합작해 항일투쟁을 전개하였다. 여기에 수록된 조병준의 한시는 『독립시가집』(송산출판사, 1984)에서 뽑아낸 것이다.

88 1922년 내몽고 수원땅에 있으면서 국가와 민족을 사랑하고 근심하는 충정에서 썼다고 한다.(『독립시가집』, 송산출판사, 1984)

旅愁

昔聞黃河水, 今釣黃河濱。

去國四千里, 愁時三十年。

조소앙(趙素昂)[89] 편

爲光復軍祝

長白山高俗自淳, 捨生取義幾多人。
青史遺芳三學士, 丹心報國七忠臣。
刺白英風傳海上, 斷藤豪氣射江濱。
三韓男子元如此, 肯向蝦夷屈此身。

---

89 조소앙(赵素昂,1887-1958) 자는 경중(敬仲), 호 소앙(素昂)이고 경기도 파주에서 태어났다. 일제강점기 임시정부 국무위원, 한국독립당 부위원장 등을 역임한 독립운동가. 정치사상가이다. 1904년 성균관을 수료하고, 황실유학생에 선발되어 일본 동경부립제1중학에 들어갔으며 1906년 메이지대학(明治大學) 법학부에 입학, 1913년 중국에 망명하여 신규식(申圭植)·박은식(朴殷植)·신채호(申采浩)·정인보(鄭寅普) 등과 동제사(同濟社)를 박달학원(博達學院)으로 개편한 뒤 중국 혁명가 천궈푸(陳果夫)·황줴(黃覺)와 함께 항일단체 대동당(大同黨)을 조직. 1930년 이동녕(李東寧)·이시영(李始榮)·김구(金九)·안창호(安昌浩) 등과 한국독립당(韓國獨立黨)을 창당하였다. 독자적 이념체계인 삼균주의(三均主義)에 입각한 정강·정책의 '태극기 민족혁명론'을 제창. 1945년에는 충칭(重慶)임시정부 외무부장이 되었다. 1945년 12월 1일 임시정부요인 2진으로 환국, 6·25전쟁으로 서울에서 납북되었다. 저서로는 『한국문원(韓國文苑)』(1932), 『소앙집(素昂集)』·『유방집(遺芳集)』이 있으며, 1970년 삼균학회에서 『소앙선생문집』 상·하권을 간행하였다. 이 부분에 수록된 한시는 삼균학회에서 펴내고 횃불사에서 출간한 『소앙선생문집』(하)(1979.7.1.)에서 1919년부터 1948년까지의 중국체험시를 수집 정리한 것이다. 창작년대를 명확히 밝히지 않았으나 내용과 주제로 중국 망명시기에 창작한 한시도 이 부분에 포괄시켰다.

無題

楊子江[90]頭春已暮, 桃花落盡菜花開。
海棠溪上無涯恨, 獨向瀛山[91]奠一盃。

綦江[92]無住庵聯

竹翠花黃知本性, 鳶飛魚躍見天然。

又

瀛山長在靈何在, 綦水東流恨不流。
不忍見兮無住菴, 焉能忘矣放生舟。

---

90 지금의 중국 쟝수성에 위치한 장강을 말한다.

91 영산(瀛山)은 쓰촨성 기강(綦江)현 서남쪽에 있다.

92 기강(綦江)은 장강 상류 서남쪽에 위치한 지류를 말한다.

無題

空有機兮洋有船, 銅裝鋼製得中堅。
怒濤耕處千尋裂, 蔽海陣容萬里連。
左右夾攻江戶外, 乾坤一擲薩摩前。
盟國鬪知還鬪力, 天時人事又雙全。

無題

斯盧建國滿雙千, 我欲題詩紀此年。
討賊自强風月道, 會盟統一太宗傳。
繼天立極開三姓, 紹往啓來頌四仙。

自輓

時頭方尾故身張, 默照如愚現素王。
再臨聖土新天子, 九變鴻圖正道郎。
宿緣成佛開三世, 曆數當躬詔萬邦。
兒樞發蟲鳥鵠野, 滿山草木盡蘇印。

寒松亭詩四仙聖蹟, 亭在江陵

四仙遊覽處, 衆美闢天門。
滄海排空濶, 重巒捲地昏。
松亭人不在, 石竈水猶存。
寂々千年史, 一枝風月根。

無題

白首相逢六十時, 爲邦盡瘁幾星移。
政立鄰疆外憂急, 身歸祖國內難知。
言情思舊淚先墮, 臨事論今語放遲。
大道吾生終有數, 命新此日豈無隨。

天竹寺詩

揮汗强登天竹寺, 石峯高出白雲間。
老僧閒說千年史, 花落溪鳴鳥自還。

三八節

含章佳節屬芳春, 淑氣交濃二五眞。
牝馬守貞能載物, 黃裳逢吉可修身。
國權强處人權壯, 夫德明時婦德新。
大化放他歡喜地, 願將法雨滌凡塵。

憂國自嘆

願將短帚掃而淸, 緯星三八是愁城。
我本不辭爲國死, 誰能解結此民生。
關北風塵雲未散, 江南春色雨初晴。
由來行蹟多過誤, 輒愧逢人道姓名。

謹和晩翁詞伯韻

悲歌燕趙士, 雄句漢唐風。
蘇節眉先白, 嚴磯釣孰工。
氷心終不變, 雲翼更無窮。

載酒江湖月, 願言携手同。

無題

吐握周公逝不回, 齊門操瑟亦堪哀。
座高敢望陳蕃榻, 顥脫愧無毛遂才。
風雨百年人寂寞, 江山千里客徘徊。
誰傳市虎何須問, 無怪良工棄櫟材。

與洪晩悟遊六榕寺　戊寅[93]

一花五葉闢禪堂, 六祖跏趺一炷香。
一切俱空人寂照, 法雲深處雨聲長。
(時大雨)

93 戊寅:1938년을 가리킨다.

廣東[94]秋七月望日　戊寅

獨唱花郎慷慨歌, 高樓一望夕陽多。
印江珠月長明處, 不盡狂風不盡波。

又

霹火无端落九天, 警笳乱吹斷人烟。
蜻蜓不識人相戰, 狂舞随風娱自然。

同上和洪晩悟

杯水年々泛芥舟, 覺來幻夢欲回頭。
亂時袍澤三分處, 夙昔同人幾共遊。
萬里烽烟重到粤, 半生風雨又驚秋。
可憐一片珠江月, 猶使清光左右流。

又

問卜猶痴况問天, 忘生業火坐籠烟。
東山再起今何晩, 佇看落日獨欣然。

94　광둥(廣東) 중국의 광둥 지역을 말한다.

同上和孫晦堂一民

銕鳥磨空霹火飛, 高樓虛白獨忘機。
恒沙諸佛能無畏, 疾電破山出定稀。(晦堂不入防空洞)

偶吟長沙

樂天立命復奚疑, 虛己受人便不痴。
水碧沙明觀自在, 鳶飛魚躍悟無爲。
禍福俱空焉擇地, 悲歡相謝各乘時。
文章千載莊生大, 離騷何如絶聖知。

長沙見籠中白鶴

雲南仙鶴(題以云云)下長沙, 小鳥籠中雪翮斜。
寄語落座多少客, 何時回向碧松家。

長沙登天心閣元旦和洪晩悟

悲風凄雨十分晴, 湘岳清光畫裏明。
五老(時有五人) 登樓何所感, 白頭豪氣酒中橫。

長沙和孫晦堂一民

光復錫嘉 (孫爲光復)名, 浩然正氣行。
當年孫壯士, 今日老先生。
用捨隨天命, 是非問兒觥。
群陰如剝落, 濶步可登程。

又

一實無成十假名, 人行處々反天行。
明々□悟慚前聖, 寂々難忘化衆生。
渤海風塵懷往蹟, 瀟湘梅月酌新觥。
同明相照容何說, 過奬□□□□□。

又

龜毛兎角借虛名, 妄見空華霧裏行。
那箇英雄眞領袖, 自稱天子誤蒼生。

含鼠怒鴟猶嚇々, 鬪霜老竹也骯々。
一聲長嘯玄珠露, 岡象爲誰賦遠程。

杭州第廿六回國耻節與洪晩悟共對某池

廿六年來亡家祭, 幾人此日哭當年。
行路難堪塵撲々, 入門忽覺道玄々。
天馬行時秋掛月, 老龍蟠處石噴泉。
鳳仙臙脂爭榮晩, 不見鄕邦立悵然。

杭州爲李省齋祝壽

澹泊又寧靜, 和光七十年。
怡然觀自在, 獨覺無生緣。

又

狂浪滔天日, 同舟復幾年。
是非留後世, 離合亦前緣。

又

曾聞仁者壽, 大德有斯年。
惺々無心坐, 在家脫世緣。

又

國破丹心在, 出疆三十年。
風霜餘白髮, 湘月亦奇緣。

長沙對雪梅與洪晚悟吟

白雪滿天地, 素梅數朶開。
且逢知己者, 不可不三盃。

長沙爲兩親晉宴有感

六十年前古戊寅, 乾坤花燭宴佳賓。
無涯功德無涯壽, 不盡慈悲不盡春。
母覺浮生還自性, 父乘大化放天眞。
但求棗栗二三子, 皓首斑衣叅慶辰。

又

默照我生前戊寅, 主人空處亦空賓。
冲漠絶塵含性命, 渾元一氣動陽春。
大塊無心通造化, 幻身不覺已凝眞。
當年花燭今雙照, 天長地久頌良辰。

由廣西至貴陽途中　己卯[95]

拂曉登程月射空, 婁山一路武陵通。
俯鑒萬壑雲橫樹, 狂走千峯虎嘯風。
人守清明塚掛白, 俗傳太古馬粧紅。
纒頭苗子時相見, 百戰抗虜復幾雄。

貴州清溪水有桐花

曲々清溪水, 混流兩岸花。
出山何太晚, 塵世是非多。

95　기묘(己卯)는 1939년을 가리킨다.

過藤峽至石龍

藤峽東西山最秀, 石龍左右水偏清。

由桂平到白灘舟中

聞道黔江百八灘, 我今纔度兩三關。
難關到處多奇趣, 萬疊青山一目看。

廣東秋

脫林踈雨數螢飛, 一點靈明照萬機。
忽見山頭來素月, 長空如水衆星稀。

偶吟廣東東山樓上

黃帝老君絕聖知, 寒山梅月假天痴。
古人糟粕何時盡, 漫使後生覺太遲。

和晩悟洪叟

孤鶴懷松月, 老龍夢海雲。
願將無底鉢, 相與續斯文。

又

素月點滄海, 青山有白雲。
可觀難可作, 天地自成文。

偶吟

心中閒日月, 頭上大風雲。
終日如愚坐, 勝看千古文。

偶吟

本來無去亦無來, 逝者如斯白髮催。
莫笑無人能裹飯, 請君醉我夢中盃。

開天節

玉碎圃翁金尺來, 李宮如夢蝶空回。
三韓古鼎寒灰落, 遙向終南倒一盃。

廣州有感

連年兵火太支離, 萬馬橫行百草萎。
老槿獨存風勢亂, 棣花半落雨聲悲。

又

離幻無心幻自離, 忘風息處眼花萎。
泰然自得如無得, 老去人悲我不悲。

又

龍眼荔枝香滿天, 芭蕉椰子繞江邊。
箇中最愛波羅蜜, 極樂四方一路連。

又

四疊青山一帶水, 黃花崗出白雲間。
羊城子弟多豪傑, 戰事年年斷復連。

又

天理人情兩不離, 人心動處道心萎。
秋園如洗蟲多語, 回首前塵頓覺悲。

出江門

曾是三韓名下士, 一竿垂竹一簑翁。
珠江所得非魚類, 釣得故人亦太公。

廣州浮亭和洪晚悟

遙看六角小亭浮, 淺水落潮白露秋。
疑是主人知道者, 任他駕浪自天遊。

廣州釣魚

四皓三竿一片舟, 晚江載舟賦清遊。
嶺南風月無人管, 長嘯短吟弄素秋。

由粤市到佛山

百忙世界一心閒, 踏盡三湘又佛山。
雲間仙鶴清淨地, 何人回首夢塵間。

又

羊城風雨少清閒, 一葦溯江向佛山。
兩岸桃源人影動, 人間到處是人間。

又

朝求佛地慈航去, 暮向人間銕馬歸。
一日輪回君莫笑, 本來面目自天機。

重慶和晚悟

兀然坐到五更深, 一藁席寒一布衾。
月向小窓愁共伴, 風傳遠鼓夢難侵。
雄鷄首唱聲何壯, 老鼠橫行氣不沈。
世亂人衰兼歲暮, 琳琅一幅動胷襟。

又

道傳六聖宗, 政在三均中。
九變應無盡, 八仙樂不窮。

又

閒雲伴素月, 雲駛月無移。
離合空留跡, 是非定幾時。(洪脫韓獨)

重慶聞倭逼獨山有感

豕突狼奔向獨山, 孤軍連破萬重關。
中原壯士馳如電, 盟國干戈繞作環。
千丈煙塵冲霄外, 一聲砲火落雲間。
跳梁小醜祟朝滅, 十月西風吹角閒。

訪綦江石吾墳

石佛崗頭訪石吾, 萬花芳處一墳高。
我來欲哭還無涙, 獨立曙光庶幾乎。

訪晦堂墳

且哭且歌訪晦堂, 登山洒酒獨彷徨。
東山雅會都無跡, 惟有文章滿口香。

無題

亾國羞耻猶未雪, 無人顧後復誰依。
蜀山落日笻環墓, 綦水悽風淚濕衣。

無題

慟哭綦江月, 怨歌重慶秋。
黨人團結後, 光復可全功。

生日答晚翁

算來五十八年春, 養氣忘形幾費神。
幻是幻非何足道, 亭々特立是眞身。

柴竹林早餐

坎离相克又相生, 獨素餐兮大德明。
殺氣縱横休一念, 滿天風雨矜哀鳴。

贈中國友人巴林詩

倭寇如狂犯大邦, 中原壯士赴疆場。
滬江砲雨風霄冷, 誰爲傷兵剪布裳。

聞文一民同志割腹有感

老髮衝冠六十翁, 忍無可忍剖心剖。
追随先烈君先逝, 痛恨餘生孰與同。

曉雨有感

陋巷頹樓經自然, 壁無完處瓦豈全。
莫言風雨來相撲, 無限心光照上天。

開羅會議通宣

開羅消息萬邦傳, 壯士歌呼動九天。
掃蕩栢林神策定, 直殲江戸武功全。
遼海重收還舊物, 青丘獨立着先鞭。
寰宇從今平等化, 願將文德十方宣。

歸國後初春

生還故國始逢春, 手把茾荑憶兩親。
遙向蜀山垂此淚, 數聲杜宇哭何人。

笠峰下聽候蟲有感

地坼天崩事已違, 支来顽命欲何爲。
空懸西蜀親山月, 獨照空林人不知。

爲邵大使在石虎亭即席吟

木覔之東石虎亭, 新迎大使客盈庭。
一場風雨如同船, 萬刦山河復舊形。
經世千年家法大, 交隣四海笑談靈。
彤弓白羽交觥處, 更進一盃請莫停。

甲韻自述　丁亥[96]四月八日

乾坤寂寞是何春, 呼母聲中欲葆真。
誓使人々强智富, 须除箇々弱愚贫。

96　정해(丁亥)는 1947년을 가리킨다.

昔年同業今先烈, 萬刧餘生一幻身。
遙望蜀山雲漠々, 誰云此日是佳辰。

望蜀親山有感　丁亥九月

菊殘月欲老, 回首恨無窮。
滿地經霜葉, 帶誰血淚紅。

和損菴公韻

持節古來稀, 葆眞何太巍。
羞垂呂尙釣, 寧採伯夷薇。
欲識六臣志, 試看九日詩。
信哉琴隱氣, 亘千載不違。

晴蓑葬日

工人擊石治墳忙, 滿地蕭々落葉黃。
哀樂奏時空下淚, 愁雲漠々覆斜陽。

無題

昔我笑啼喚祖母, 瘦肩七十負難支。
我當七十還同境, 獨對莘荑淚自揮。

書吟

胡爲乎來哉, 鄉無吾父母。胡爲乎歸哉, 尚不見國與府。
胡爲乎道止, 滿目魍魎, 巷無居人。
胡爲乎反覆, 這箇良, 食有魚乎。
出有車乎, 住得第乎, 感昭曠之有野, 隨余心而可遊。

紺嶽山頌[97]

緪維鴻濛, 天造偉峰。嵾峭巀嶭, 崛岣巃嵸。
獨立不倚, 屹然天縱。崷崒岪鬱, 嵽嵲崆巄。
中心一國, 震威七重。神嶽峛崺, 無西無東。
豁然大道, 五達四通。祐我聖族, 克誠克恭。
三山五岳, 和而不同。萬方有岳, 孰敢爭雄。
寰球仰止, 俱瞻遺風。是我國脈, 永世不窮。
歷代皇帝, 惟禮是從。三月上祀, 高祭維躬。
一年四節, 羅祀之宗。麗韓相續, 薦潔隆崇。
神堂赫赫, 蔚乎天宮。北繞智水, 南闢道峰。
綠竹守節, 紫檀其穠。虎豹爲卒, 蔘芝猶童。
杜鵑灼灼, 化粧天宮。白雲皎皎, 佳氣鬱蓊。
禾麻菽麥, 四民樂豐。六花亂舞, 一朶芙蓉。
四時衆美, 一氣玲瓏。噫我樂土, 怪彼狐雄。
穢德亘世, 黍稷其空。漆齒跋扈, 白衣疲癃。
將將神嶽, 玄覽維聰。愀然動氣, 陟降啓蒙。
萬里殊域, 夢寐難矇。蔚彼聖姿, 中宵相逢。
半生素志, 一夕丹衷。西湖秋雨, 血淚震震。
開余微誠, 錫我膚功。獨立我國, 解放我農。

97 이 한시는 『震光』 1935년 4월 제5기에 게재되었다.

조정환(曹正煥)[98] 편

白骨漢山川

丹心韓日月, 白骨漢山川。
卸却人間事, 今朝獨立年。

98 조정환, 작자 생졸 연대 미상. 경상남도 김해 출신이며 1910년대에 조선에서 항일 운동을 하다가 "3·1"운동 후 중국 동북지역으로 와서 독립운동만을 위해 활약했다. 아래에 수록한 한시는 『독립시가집』(송산출판사, 1984)에서 뽑아낸 것이다.

최탁(崔卓)[99] 편

祝新年

遙膽鳳闕賀新春, 南陸居官又一春。
休語此中時事急, 大和花發萬邦春。

---

99 작가의 신원은 미상이며 이 시는 『재만조선인통신(在滿朝鮮人通信)』(1937.1.) 제19호에 게재되었다.

한송생(寒松生)[100] 편

偶感敬呈滄海詞伯案下

北海蒼茫日影移, 不啼不擧待何時。
衝起九萬風無力, 激起三千水有涯。
潛伏本非游涸轍, 高翔直欲徙天池。
爲將此語遙相贈, 欹案應當一笑之。

---

100 이 시는 『동아일보』(1940.8.9.)에 간도산인(間島散人) 한송생(寒松生)이란 이름으로 발표했으며 작자의 신원은 미상이다.

중국 국내 잡지에 게재된 한문(漢文) 시가 편

『독립공론(獨立公論)』[101] 편

韓國革命先進故申睨觀[102]先生遺詩

束裝

今夜籠中鳥, 明朝海上鳴。

忽聞風浪急, 誰能共我舟。

---

101 『독립공론(獨立公論)』은 1936년 6월 중국 난징에서 한국인이 창간한 월간 독립운동지로 같은 해 11월에 종간되었다. 주요 투고인들로는 이북곤(李北昆), 도일(道一), 손명수(孙铭修) 등이 있다. 잡지에는 「韩国革命中心思想问题」, 「韩国革命运动现状」, 「韩国农民的负债额」, 「韩国文化对于国外贡献」등 문장들이 실려있고 그 외에도 「中国政治教育论」, 「中国民气之转变」 등 문장들이 실렸다. 여기에 수록된 한시들은 『독립공론(獨立公論)』1936년 제3기에 게재된 시들이다.

102 申睨觀은 바로 신규식을 가리킨다. 신규식(申圭植,1879~1922)는 충청북도 청원에서 태어났으며 호는 예관(睨觀), 여서(余胥), 일민(一民), 청구(靑丘), 한인(恨人)이다. 일제강점기 대한민국임시정부 법무총장과 외무총장 등을 역임한 독립운동가이다. 1911년 중국 상하이로 망명하여 신정(申檉)으로 개명하였다. 손문(孫文)이 이끄는 동맹회(同盟會)에 한국인으로서는 처음 가맹해 10월의 무창의거(武昌義擧)에 참가해 신해혁명에 공헌하였다. 1921년에는 잡지 『진단(震壇)』을 발행하였다. 저서로는 『한국혼』과 『아목루』가 있다.

發漢城渡鴨綠江

大江如彼逝, 何日更歸東。
無數宜陽子, 聲聲博浪中。

抵燕京訪晴簑

漢城一別三千里, 落日燕京訪故人。
有淚無言相視久! 中華消息倘其眞?

寄徐血兒民立報社員

幸逢徐血子, 願遂識荊州。
一管千鈞力, 兩眉萬種愁。
海東無日月, 海上有春秋。(上海有徐君撰春秋)
倘認青邱子, 苦心同氣求。

和山陰王文富

雨打風鳴夕波起, 同舟不畏好經過。
幾處歡呼新日月!孤生痛哭舊山河!
海上烟塵依舊樣, 山陰夜雪近如何?
惠投薪膽眞多感, 對酒無妨掃敵歌。

寄韓興君

矢志男兒仗劍行, 奮身當日各奔忙。
申勤寄語韓興子, 存楚椎秦兩不忘。

自憫

胸海傾相吐, 疑雲擁不開。
豈是潛藏禍, 又非自荐才。
斷斷無他意, 區區有此來。
始知喪國物, 累累獨悲哀。

往莫愁湖

石頭城外有湖樓, 樓是勝棋湖莫愁。
王子佳人何處見, 荒臺寂寂水空流。

有感

愛憎無私意, 向背惟公理。
何為種族爭?恐作漁人利!

寶劍贈黃克強

先斬窮凶大懟人, 次殲渝約背盟隣。
餘鋒撲滅群妖物, 投太平洋洗血塵。

贈孫中山

荊天棘地一身輕, 楚水吳山路不平。
鉄血疆場當日願, 數千萬口是同聲。

寄靜廬

自愧初心熱血流, 江南萬里一孤舟。
和風大陸人同樂, 妖祲東方我獨愁。
碎首無庭鳴楚急, 椎聲有日擊秦仇。
黃昏誰指茫茫路, 靜廬帷中運妙籌。

寄彝堂

何必現身說法通, 普提樹下樂無窮。
明心見性知耶否?悟到空空亦不空。

贈弘巖先生

去年今日共囹圄, 歌詠阿斯氣尚豪。
隻雁南飛何處向?白山黑水路迢迢!

贈宋漁父

風雲開革幕, 雪月滿漁磯。
漢運中興日, 秦仇未報時。
松茂能知悅, 猩亡還可悲。
倘記龍公館, 青邱血淚兒。

贈冶公

鐵衣關塞月, 霜劍秣稜秋。
將功多北向, 賫志更東遊。
救世惟公理, 瀰天之我憂。
長風吹萬里, 別意共悠悠。

和鄧孟碩獄中原韻

風雨漫漫長夜中, 孤燈耿耿放光紅。
同病何人懷有痛, 強權如彼理無公。
立節曾聞寒後草, 不才有愧夏時虫。
知否一片囹圄外, 萬水千山路幾重。
乾坤窄窄苦相思, 萬種愁愁攢兩眉。
十年書劍皆無賴, 一部春秋獨有持。
生罹地獄非其罪, 欲叩天開亦莫知。
可惜風飛星散日, 惟公不忍故遲遲。

夜與諸棣小酌共題詩

去年今日坐西樓, 細雨蔬風感九秋。
晚節經寒尚無恙, 青春鐘愛可銷愁。
死馬苦求人易笑, 生鰥強飯酒難謀。
休恨浮萍隨處泊, 元來宇宙一虛舟。
木落鴻鳴人在樓, 天涯遊子易傷秋。
前宵驚洒思親淚, 異域難埋去國愁。
頃刻風雲觀世變, 轉旋穹壤仗誰謀。
斯翁瞿礫羣賢秀, 泛彼横流同我舟。

送楊春時赴湖北

天涯淪落未同歸，萬事蒼涼又亂離。
從此行吟知者少，當時道德似君稀。
青春忍賦江湖夢，白眼看來天地非。
昨夜東風消息惡，那堪回首百花飛。

寄南社

東風獵獵浪相驚，中夜沉沉苦未醒。
從古燕南多慷慨，祇今滬上最文明。
秘密喪權哀復轍，鼓吹無力惜時名。
痛哭不乾五年淚，茫茫何處覓秦庭。

太一遺書感賦

寒風吹大野，落葉滿長江。
先烈遺芳史，餘生痛國殤。

李忠武公閑山島紀念第三百十四回

光前耀後立恩功, 百世難忘忠武公。
誓海盟山成鐵甲, 倭兵十萬化沙蟲。

孤憤

去去東流水, 何慳掠我還?
涓涓經百折, 尚在萬谿間。

黃海舟中晚眺

白雲天末憶家鄉, 滾滾河山帶礪長。
最是不敢回首處, 斜陽影底話興亡。

贈黃界民

風雲會一堂, 同氣相求者。
明血格神人, 妙香滿天下。

韓國革命先進故申丹齋[103]先生遺詩

秋夜述懷 壬戌

孤燈耿耿伴人愁, 燒盡丹心不自由。
未得天戈回赫日, 著將禿筆畫青丘。
殊方十載霜侵鬢, 病枕三更月入樓。
莫說江東鱸膾美, 如今無地繫魚舟。

---

103 申丹齋는 신채호를 가리킨다.

逸園近詩-逸園[104]

感懷吟

廿載滿洲七載燕, 幾經滄海變桑田。
而今復索金陵米, 自顧吾生太靦然。
南朝金粉擅繁華, 簫管聲中十萬家。
明月樓臺人盡醉, 歌娥猶唱後庭花。
金陵千古帝王城, 今代英雄復奠京。
塞北風塵飛不渡, 長江天險未虛名。

雨夜詠懷

江南秋雨夜如年, 落葉虫聲動客悲。
試向明朝鏡中看, 應添襄鬢數莖絲。

---

104 저자 신원 미상이나 여기에 실려 있는 한시들의 시적 주제나 정서 표출을 통해 중국에서 활동한 한국인임을 추정할 수 있다.

和友人詩

薪膽生涯慣別離, 逢場不必問何之。
故山楓菊君休想, 須待黃龍痛飲時。

逢舊雨同登清涼山

登臨懷思更難平, 千古興亡一夢驚。
却恨儒冠無勝策, 不妨知己且談情。
莫愁湖上餘愁在, 掃葉樓頭落葉鳴。
把酒吟秋須盡醉, 清涼山暮月還明。

邂逅故人對酒相和

彈鋏吹簫一笑看, 逢君吳市此生難。
十年驚夢昭關險, 萬里悲歌易水寒。
白首屠沽猶可樂, 窮途日暮不須歎。
只憐未遂東征計, 辜負蒼龍匣裏蟠。

病中有感

萬念悠悠夜海橫, 木魚亂響報三更。
隨身舊物南冠弊, 閱世餘痕白髮生。
病裏看花花亦瘦, 愁中對月月無情。
終知人事皆如夢, 觸境猶然起不平。

生朝和友人詩

歌罷蓼莪詠楚辭, 白頭孺慕似孩兒。
時乖命薄三生恨, 國破家亡萬死宜。
到老始知非寶樹, 當年應謂勝盤絲。
多情故舊來相慰, 攜酒同酣唱竹枝。

『동방전우(东方战友)』[105] 편

一九四〇年的進行曲-李斗山

自從蘆溝橋畔砲一響,
不願意做奴隸的人們——
中, 韓, 台的弟兄們,
掮起鐵, 大踏步, 前進進!
爬過一嶺, 二嶺, 三嶺,
於今,
站在四個年頭的嶺上,
高揭「解放」旌旗, 大敲戰鼓,
仍然高唱着莊嚴的進行曲呀!
看呀, 我們的脚腿,
愈踏步愈強壯!
看呀, 我們的腰背,

---

105 『동방전우(东方战友)』는 중국 광시 오주(广西梧州)에서 발행한 잡지이며 영문명은 The Orient Comrade 이다. 1939년 1월 15일자로 제1기를 간행하였으며 반월간인 잡지의 발행사는 동방전우사였고 사장은 한국인 독립운동가인 이두산이다. 1939년 6-7월 경에 동방전우사를 계림으로 옮겼으며 반월간이던 간기를 월간으로 변경했다. 동방전우사의 창립 목적은 중국을 비롯한 한국, 대만, 베트남 등 동방 피압박 약소민족이 연대하여 중국 항전에 참여하여 일본제국주의를 타도하고 각 민족의 해방과 동아시아의 평화 건설을 지향하는 것이다. 동방전우의 필자들은 대부분 중국인이었으며 소설, 희곡, 시가 등 문예 작품들도 꾸준히 수록되었다.

愈挺走愈勁直!
近衛, 平沼, 阿部輩,
任他們怎的狡猾獻媚,
決不息平我們的怒吼,
一個倒, 一個走,
第三個還在哀乞着可憐!

三島的七千萬人民,
每一個出二百卅六日元,
總計一百六十五億金——
是他們血汗的結晶,
都拿獻了祭壇上, 咒以焚香,
跪拜着我們的面前祈求。

這也不夠,
又送來了百多萬的生塊肉,
燒的燒, 炒的炒, 烹的烹,
香味動人,
珍佳, 可以供口,
再拿七百廿多山禽, 飛鳥,
好好的燒煎來加餐,
可是,
這些決不適宜我們的口胃。

迎接的又送來了:
家奴——九十個,
艦艇——六百四十四,
護衛用戰甲車——一千三百餘,
其他許多的珍貴品;
可是,
這也不能夠滿足我們的欲求。

我們緊緊的束上腰帶,
再用着激昂的飛步,
壓拆着荊棘, 涉着沙水,
向着鴨綠江岸猛進!

這樣,
我們雖然站得住那鴨綠江畔,
但, 那時, 從半島過來的哀調,
還是刺到我們心上來;
那孤兒寡妻的號叫啼哭聲,
悠悠的混雜在凄風一起,
還是打着我們的耳鼓來呢!
我們是雄雄烈火,
能夠忍聽這些刺到來的哀怨,
而使我們飛步, 停得住那邊麼?

爹娘啊, 兄啊, 弟啊,
你們的唏噓啜泣,
是給我們一刻也決不罷休;
姊妹啊, 朋友啊, 愛啊,
我們的腳步為你們不能停住!
我們搶渡鴨綠江越岸那時候,
那白衣大衆一定這樣的歡呼:
「朝鮮民族解放萬歲」!

我們要完好的朝鮮,
我們要整個的中國,
我們要台灣人的台灣,
我們要東亞的和平!

我們的家屋, 土地, 田園,
應該收回, 做我們的所有。
從這四個年頭嶺上,
更要疾風似的齐奋衝進!
看啊,
那「希望峰」招展着我們呢!!
高唱吧, 這一九四零年的進行曲,
高唱到玄海灘那邊,
高唱到海南島那裏,
高唱到大同世界那邊吧!

『東方戰友』, 제13기, 1940.1.25.

日婦哭夫-德心[106]

在一個秋天的月夜,
風是淒厲的
吹襲着大地上的一切。
葉子被吹得沙沙的發響,
有的從母體脫離,
紛紛的墮下地來!
澄清的空際,
掛着一個無缺的月亮,
像水晶般皎潔,
發出銀白的光芒。

一間蘆葦垛成的屋舍,
孤單地立在一條小河的岸上;
她在這裏獨個兒守着空床,
春花秋月經已兩年多;
這夜, 她的縷縷情絲,

---

106 덕심(德心)은 1940년을 전후하여 이두산과 결혼했으며 일제의 정보보고에 의하면 1940년 2월 조선의용대 총무조 회계주임을 맡았고 광동 순농중학을 졸업한 여성이었다. 이두산이 계림에 정착한 직후부터 『동방전우(东方战友)』에 여러 편의 글을 발표했는데 이두산의 장남 이정호의 손아래 처남 한태동(韓泰東, 연세대학교 명예교수)에 의하면 한국인이라고 한다.(최기영, 『중국관내 한국독립운동가의 삶과 투쟁』, 일조각, 2015)

綑她坐在門簷的下,
默默的回憶着二郎的話:
『快要回來,
伴你賞着這個裡的櫻花,
……………………』。
而一行一行的珠淚,
透濕在單薄的袖襟上。

她, 抖顫着
發出微弱的呻吟:
『二郎, 我為了你,
我的青春將要枯凋,
我的健康將要毀滅了!
二年來, 總沒見字兒來的
是为着「皇軍」盡忠的結果?
是为着「報國」的最後呢?!
這些無寫的炮灰
有着什麽意義!
炮灰, 誰給你做炮灰呢?!』

一陣一陣的冷風,
祇在侵襲這孤單的
弱女身上!
哀怨, 使她血脈漲大起來,

一聲「還我丈夫!」的哭喊,
壓倒沙沙的冷風,
而打破這秋夜的淒寂。

『東方戰友』, 제18기, 1940.6.15.

『신동방(新东方)』[107] 편

黃浦江呵! 黃浦江呵[108]-金山[109]

黃浦江呵! 黃浦江呵

我們最親愛的黃浦江呵!我們永達不能忘的黃浦江呵!

你那一幅清波悠森的笑靨, 含著深沉的憐憫的笑靨,

---

107 『新东方』 잡지는 영문명으로 The New Eastern Journal이다. 1930년 1월 베이징에서 창간했으며 1932년 11월 종간했다. 중국인 吕振羽, 郑侃, 杨刚, 刘思慕등이 참여했으며 신아주서국동방문제연구회(新亚洲书局东方问题研究会)에서 편집하고 발행했다. 주로 아시아 문제연구를 다룬 잡지이다.

108 김산의 작품 「奇怪的武器」에 삽입된 한문 시가이다. 炎光이란 필명으로 『신동방』 제1권 4기에 발표했으며 시의 제목은 따로 없고 「黃浦江呵! 黃浦江呵!」로 시작되어 있기에 이를 시 제목으로 처리했다.

109 김산(金山, 1905 ~ 1938)은 평안북도 용천에서 태어났으며 본명은 장지락(張志樂), 별명은 장명(張明)·이철암(李鐵岩)·한비종·유종화이다.1920년경 중국으로 건너가 6개월간 신흥무관학교에서 군사학을 배우고 상하이로 간 뒤, 임시정부 기관지인 『독립신문(獨立新聞)』의 교정원 및 인쇄공으로 일하였다. 황푸군관학교(黃埔軍官學校) 교사로도 재직하였으며, 1925년 7월 국민혁명의 중심지인 광저우(廣州)로 가서 중국공산당에 입당하였다. 1926년부터 조선혁명청년연맹의 간부와 기관지 『혁명행동(革命行動)』의 부주필로 활동하는 한편, 중산대학(中山大學)에서 외국어·경제학·철학을 공부하다 북벌의 선봉대인 독립단에 참가하였다. 1938년 8월 산간닝(陝甘寧)지구에서 조선혁명가대표로 당선되어 활동하다가 옌안(延安)의 항일군정대학(抗日軍政大學)에서 교편을 잡았다. 이때 미국의 언론인 웨일즈(Wales, N.)를 만나 자신의 생애를 구술하였으며, 웨일즈는 이를 토대로 『아리랑의 노래』(1941)를 출판하였다.

從那狂暴的洪濤中, 迎救我們深深的躲在你的懷里,
現在又把我們安然的送上岸來。
像這樣: 你的慈惠, 你的仁愛, 你的那顆比明月還亮着的心,
我們是應該如何的如何的紀念你, 感激你, 羡慕你呵!

黃浦江呵! 黃浦江呵!
我們最親愛的黃浦江呵!我們永遠不能忘的黃浦江呵!
你怎知道, 我們是失巢般的鳥, 涸水了的魚:
你才本着慈惠的心腸, 帶着憐愛的笑靨,
把我們從那滔滔暴水的狂涛中拯救出來的?
假使, 你如果不迎救我們的話,
那末, 我們是, 無論如何要被兇惡的狂濤淹死的,
何至於還能夠在這天國似的黃浦灘頭徘徊呢?!
又何至於還能夠有和你談話的今日呢?!

黃浦江呵! 黃浦江呵!
我們最親愛的黃浦江呵!我們永遠不能忘的黃浦江呵!
你大槪就是人間的上帝吧。
你把我們救出來了,
這兒: 是何等美麗, 何等繁盛的都城喲!
--唉!只可惜, 只可惜,
我們這失了巢的鳥, 涸水了的魚,
怎麼能夠忍心在這兒住得下去呢!

我們想起, 我們祖國的被難同胞,
我們想起, 我們的家庭, 父母, 兄弟, 姊妹和愛人,
我們想起, 我們家庭門外常常排列著的高車駟馬,
我們想起, 我們那繁華的城市, 山青水秀的園村,
這些, 一切, 都已被那毒龍帶來的暴水淹沒殆盡了,
我們還有什麼可以生的必要呢?!
我麼還有什麼可以生的必要呢?!

黃浦江呵! 黃浦江呵!
我們最親愛的黃浦江呵!我們永達不能忘的黃浦江呵!
你真是人間的上帝!
上帝啊! 謝謝你, 把我們救起來了,
也許你的慈愛, 就是要我們為你去救那一些
正在暴水中搾扎着的難民吧!
好, 好, 好! 我們決計做你的一個忠實而勇敢的信徒,
我們決計去救那無數被難得同胞,
我們現在就任着我們的熱淚, 一點一點的抛聚在你的身上, 讓他慢慢地漲大起來,
然後要他向着那毒龍的巢穴, 猛烈地撲去, 淹沒得他一個乾乾淨淨。

呵! 上帝呵!你放心吧, 我們是決不會不忠實的。
我們要為你的慈愛而戰, 我們要為我們的家庭, 父母, 兄弟, 姊妹, 戚友, 愛人而戰!
我們更要為我們有四千餘年歷史的祖國而戰!

我們去了! 我們準備着去戰!

『新东方』, 제1권 제4기, 1930.

『조선의용대통신(朝鮮義勇隊通訊)』[110] 편

你是義勇的戰士-李斗山[111]

(給前方朝鮮, 勇隊同志們)

你是義勇的戰士, 義勇的結晶!

義, 不容你沈醉在「沙潑」上躲臥;

---

110 『조선의용대통신(朝鮮義勇隊通訊)』은 조선의용대 본부가 중국 계림(桂林)에서 발행한 항일 간행물로, 1939년 1월 15일~1942년 4월 1일까지 총 42기가 발간되었으며, 43기부터는 '조선의용대'로 제목이 바뀌었다. 1기~27기는 순간(旬刊)으로 발간되었고, 28기부터는 반월간(半月刊)으로 발간되었지만, 그 뒤로는 사실상 월간 또는 부정기 간행물이 되었으며, 판매본으로 만들어졌다. 집필자는 모두 113명이다. 그 가운데 이달(李達)이 가장 중요한 논객이면서 잡지 발간을 주도하였고 그 외에 유금용(劉金鏞)과 왕계현(王繼賢)·한지성(韓志成)·이정호(李貞浩)·교시(喬矢)·윤위화(尹爲和) 등이 꾸준히 발간을 담당하면서 10차례 이상 원고를 게재하였다. 이 잡지에 게재된 시가의 저자들로는 조선인 외에 중국인 항일운동가들도 포함되어 있다. 일부 시는 시적 화자와 주제 표현에 따라 한국인의 창작임을 판단하여 여기에 수록했다.

111 이두산(李斗山, 1896.7.26~?), 경상북도 달성군 화원면 명곡동에서 태어났으며 본명은 이현수(李賢壽)이고, 이연호(李然浩), 이현수(李顯洙), 이현수(李賢守), 이일정(李一淨), 이우봉(李宇峯), 장일봉(莊一峰), 김항(金恒), 황신국(黃信國)이라는 이름도 사용하였다. 1917년 9월에 중국으로 망명하여 대한민국임시정부를 비롯하여 한국독립당·민족혁명당·조선의용대·한국광복군 등에서 활동하였다. 1937년 중일전쟁 이후에는 민족혁명당에서 활동하면서 1939년 1월에 「동방전우(東方戰友)」 제1기를 간행하였으며 조선의용대의 기관지 편집위원회 주임으로 「조선의용대통신」 편집에 참여하며 시와 논설을 발표하기도 하였다. 1942년 전후에는 민족혁명당과 조선의용대가 대한민국임시정부와 한국광복군에 참여하기로 결정하자 중경으로 옮겨, 1943년 3월부터 1년 동안 법무부 차장을 맡았다.

勇, 不許你緘默在斗室裏蟄伏。
你像火塊似的熱烈;
你像電氣似的飛跑!
呵!我年青的同志們記吧!
我和你在羊垣拍案起時,
珠江風月怎敢來留戀我們的飛步;
白雲山林也不敢遮着我們北上的路。
那時的血潮, 還在你和我的心臟皷湧着!
戰士們, 鴨綠江水等着你早點來,
滌你青龍刀上仇血班痕;
同志們, 東海水候着你快點來
洗你沙場上炮烟污泥的身軀。
你是義勇的結晶, 去吧向前去!
死也是「永生」, 生也是「求生」,
這是無上的光榮, 也人生的最高理想。
阿年青的我的「成」弟呀!
我願你單刀直入, 衝渡鴨綠江,
快把母親的荒墓掃除掃除,
早把徘徊路傍的父親安慰安慰吧!
你是義勇的戰士, 我讓你趕上報仇!
阿一兒呀, 你不顧慮我這你的父吧!
我和你為着神聖而死, 是我的理想,
若你違着這理想, 就給我痛心的;
我若不幸, 不先你死,

給我摩看你的名字刻在烈士墓碑上吧!
這是你對我的「孝」, 也我的至願。
二兒呀, 我已知你在火線上搏鬥,
我的喜鬼混着三杯酒, 雀躍在我的心窩;
你殺一個, 我酒一杯;殺兩個, 我飯六個大碗,
二兒呀, 你不給我肚餓吧!
若你沒戰蹟, 我怕我的營養不足呀!
你是義勇的戰士, 多出些勇敢吧!
　　　一九三九, 三月五日於桂林.

『朝鲜义勇队通讯』, 제6기, 1939.3.11.

我要回到金剛山-若曦[112]

我要回到金剛山,
我與金剛山已離別了十年。
我要回去看一看,
她是否還是昔日的容顏。
錯雜的山谷,

112 저자 신원 미상이나 시 가운데서 표출된 정서나 주제를 통해 독립운동에 나선 한국인임을 알 수 있다.

峭立的岩石,
綠陰的夾道,
潺潺的溪澗;
啊!是這樣的巍峨而幽美喲!

我要回到金剛山,
我與金剛山已離別了十年,
我要回去看一看,
她是否還是昔日的容顏。
獸蹄踏身軀,
烏跡污顏面,
誰人來安慰,
誰人來可瞻;
啊!是這樣的孤獨而可憐喲!

金剛山啊!
當我離開您的那一年,
那一年的春天,
那時楊柳初綠,
草兒初青,
野花初露臉。
當一個清醒明媚的早晨,
您是默默無語,
我是珠淚漣漣,

是這樣無情的離開了您的身邊。

當我離開您的那一年,
誰知這一別---一年, 兩年, 三年……
到而今還未能和您見面。

我只有氣憤, 只有悲慚,
待不久的將來,
待明天,
唱着前進的歌曲,
奏着壯烈的凱旋;
剝去獸蹄,
出掉烏跡,
將長此和您作終身的伴侶。

『朝鲜义勇队通讯』, 제10기, 1939.

揚子江-金维[113]

--敬贈中國的戰士們

揚子江,

揚子江!,

中國的動脈揚子江

幾千年一脈的洪流

培養了中國偉大的力量

過去啊

你曾高唱著和平, 自由, 解放;

你光榮鬥爭的歷史

已證明了你始終在和人類的公敵猛撲着

而今啊!

砲火烽煙在籠罩著你,

虎豹豺狼踏在你身上;

吸吮著你的血,

113 중국의 남경국민정부 수립 후 남경에서는 기존의 동남대학을 기초로 국립중앙대학이 중국 내 최고 학부로서의 위상을 지니게 된다. 중앙대학이 문을 연 이후 1930년대를 거쳐 항일전쟁시기, 그리고 1948년까지 지속적으로 한인청년의 입학이 이어졌다. 정세의 변화로 1938년부터 1945년까지는 남경과 충칭에 두 개의 중앙대학이 병립했던 시기이다. 충칭시기에 중국 국립 중앙대학교에 특별생 또는 청강생 자격으로 들어온 한국인 유학생들가운데 한국 국민당 성원인 김유(金維)가 포함되어 있으며 외국어문학학과에 입학한 걸로 밝혀졌다.(윤은자, 「중국 국립중앙대학의 한인유학생과 독립운동」, 중국근현대사연구72, 2016.12.)

吞噬著你的肝臟--上海, 南京, 武漢……
你只有掙扎, 怒吼, 咆哮。
中國的生命揚子江啊!
掀起你洶湧的巨浪
向著那萬惡的野獸猛撲吧!
為爭取民族生存的戰士們,
為求自由求解放的朋友們;
揚子江的洪流在啟示着,
只有奔騰你的革命的怒潮,
向着東方邁進。
聽吧!揚子江的怒濤在咆哮,
看吧!揚子江的浪潮在奔騰。
她已警醒了沉悶的大地,
喚起了千百萬的民衆。
勇敢的戰士們!
揚子江的流水正象徵着你,
你們的血---浪濤
你們的吶喊--咆哮!
你們的意志--洪流;
為了人類正義世界和平,
非把一切危害人類的野獸消除,
永久奠定下世界和平的基礎,
只有奮鬥, 決不罷休!

『朝鲜义勇队通讯』, 제19, 20기 함간호, 1939.8.1.

八二九-重光[114]

被蹂躪的
國恥日,
八月二十九日喲!
從悲慘的
八月二十九日起,
人面獸心的日本強盜,
搶佔了美麗的朝鮮,
吮吸, 全民的血,
剝削, 全民的肉,
榨取, 全民的汗!
追得顚沛流離!

美麗的國土上,
成群的縱橫到荒野!
從八月二十九日起,
愛國的大衆們,

---

114 저자 重光은 장중광이며 민족주의자로서 민족혁명당 당원으로 조선의용대에서 활동하다가 화북 지역에 들어간 조선독립독맹당 성원으로 알려졌다. 여기에는 박효삼·양민산·이춘암, 그리고 한글학자 김두봉과 윤세주·방우용·손일봉 등도 이에 해당된다. 시의 제목은 8월 29일의 약칭으로 1910년 8월 29일은 한일합병 조약을 통과시킨 날로 한국 역사상 처음으로 국권을 상실한 날이며 역사상 "경술국치"의 날이다.

跳躍着,

向日本軍閥,

向日本財閥,

向韓奸走狗,

打擊, 暴動, 暗殺!

如今

不願做亡國奴的人們呀!

打斷鋼與鐵的鎖鏈,

團結起來!

向著光明的道路前進吧!

『朝鲜义勇队通讯』, 제24기, 1939.

積累的血債要在此歸還-奉文[115]

-為紀念「三一」而作

野火燃逼了朝鮮,

半島上有的只是火焰,

光芒照射了無邊的原野,

大衆的喊聲在火光中出現。

前進!戰鬥!

戰鬥!向前!

朝鮮的大衆們!

讓我們同赴最前線!

「三一」的鬥士三千萬!

讓我們快做反倭總動員!

悲怨, 憤怒已不能抑止在心坎,

偉大的攻擊戰鬥已輝煌在眼前,

肉搏!追擊!

光明, 不遠。

朝鮮的大衆們!

積累的血債,

要在此時歸還。

『朝鲜义勇队通讯』, 제33기, 1940.

---

115 저자 신원 미상이다.

中國的女兒-明哲[116]

今天,
解放的火炬
燃燒在亞細亞的大地;
在祖國的樟樹鎮,
你們英勇的站在起來,
像一羣戰鬭的男兒。
呼喚着
你的兄弟姊妹,
為解放,
為自由,
來和東方的強盜搏鬭!
我們是兄妹的團體,
遭遇着同様的苦難,
遭遇着同一的敵人,
我們
也和你們的兄弟姊妹一樣地
敬愛你們。
光輝的太陽
已在暴風中顯現,

116 이름은 문명철(文明哲)이며 조선의용대 대원이라고 밝혀졌음.

奴隸的枷鎖已經斷了,
強盜的末日就要來到,
中國的女兒啊,
在這勝利黎明,
更勇敢的前進吧!

『朝鲜义勇队通讯』, 제34기, 1940.

悼四將士-文靖珍[117]

我遙望
荒涼的北戰場,
向四位殉國的將士敬禮。
我低頭
聽著光榮之歌
使許多在醉生夢死的人

117 중국 국립 중앙대학교(충칭시기 1938~1945)에 특별생 또는 청강생 자격으로 진학한 한국인 학생이다. 또한 문정진은 중국 광저우 중원중학을 나와 1937년 중산대학에 입학했다. 이후 조선의용대 대원으로 중국 항일군 제9전구에서 활동하다가 한국광복군 1지대에 편입되었으며 조선민족혁명당에 가입했다. 1941년 중국 국립 중앙대학교 사회학학과에 입학해서 1946년 4월에 졸업했다.(윤은자, 「중국 국립중앙대학의 한인유학생과 독립운동」, 중국근현대사연구72, 2016.12.)

激起堅毅果敢的精神
求繼承你們的使命。

一峰, 現淳, 東旭, 鐵鎬
你們善良, 你們勇敢,
你們是威武的勇士
毅戰的好漢,
你們的為民族解放的光榮事業
將永遠給後代的兒孫。

將士們
你們是光榮的逝世了,
你們以勝利的微笑
向仇敵射發了最後的一粒子彈。
將士們
你們縱然永別我們而去
卻將火樣的燃燒的熱情
獻寄給為解放而工作的同志們。

孫, 王, 朱, 崔四位烈士們
你們會以英勇無比的氣魄,
將筆桿視為槍桿,
槍桿視為筆桿
奔馳於南方戰場上,

和士兵們一樣忠義, 果敢, 衝鋒殺敵。

記得
一個秘密的夜裏,
你們在上海暗殺敵之襲人
我擔負著響導的責任。
你們揮舞著狂熱的拳頭
竟向那罪魁猛擊
那些零星的巡捕一見你們威風凜凜的姿勢
便不能不驚慌失色地躲在一邊!

記得
又一個酷熱的夏天
你們與某師敢死隊
站在隊伍的最前面
共計錫山,
奪獲戰利品
勝利歸來。

如今
以你們壯烈的犧牲,
換取了邢台光榮的勝利。
你們偉大的革命精神當永垂千古!
在你們的靈前,

我們宣誓:

為完成你們的遺業,

踏上你們的血跡前進!

『朝鲜义勇队通讯』, 제42기, 1942.4.1.

『중국시단(中国诗坛)』[118]편

放歌-李門山

踏上那喜馬拉雅最高峯的白雪,
我像筆尖似的屹立,
打開我「現在」的喉,
放播我這最高音的歌,
願意給人們聽:
真,
勇,
行。

我不要,
交織着謊話, 陰謀, 假偽鐵網的——
現世的RADIO電波;
我更不要
假裝著廉潔, 為公, 犧牲面具的——
口是心非的PIANO伴奏者;
我也不要
遮蔽著高潔, 雄壯, 嘹亮音波的——

118 『중국시단(中国诗坛)』은 1937년 7월 광저우에서 발간한 월간지로서 중국인이 발행한 항일잡지이다. 1946년 5월에 종간했다.

像病猿求侶様的合唱者;
祗靠著我這「自然」的喉,
大放着洪鐘似的歌唱:
真,
勇,
行。

人們呀
年青的, 年老的,
清流的, 濁流的,
寬宏大度的, 目光如豆的,
眉目清秀的, 馬面蛇睛的,
高揭解放旗幟的,
青虫夜噪的法西斯蒂,
被壓迫的, 壓迫的,
沒有的, 有的,
貧的, 富的,
長官, 士兵,
主席, 僱職,
市長, 役員,
地主, 佃農,
工廠主, 工人……
一切的人們呀, 傾耳聽聽吧:
真,

勇,
行。

「眞」彈,「勇」彈,「行」彈—
這是三個最高的音彈!
高懸在那喜馬拉雅高峯的太陽,
被這「音彈」的術貫,
發射著無數億萬的光芒,
射進到這大地的每一個角落!
眞,
勇,
行。

射照到,
為著生存而鬥爭的人們心靈時,
做著風暴和雷霆;
射穿着,
瘋狂的歹徒們肺臟時,
一個個都被撕裂在支解!
眞,
勇,
行。

——寫于桂林

『中国诗坛』(广州), 제6기, 1940.

『진단(震壇週報)』[119] 편

震壇出世祝辭-趙琬九[120]

浩浩其德, 震茲大塊。
自我文明, 巖巖其形。
檀於斯馨, 實遵實服。
有五千年, 叔季迷離。
詐偽縱橫, 不蹇不忒。
怪鬼日出, 攪亂非一。
道為人欺, 錦繡東土。
強賓闖門, 和乃侮物。

---

119 『진단』은 한국 독립운동가 신규식(申圭植)이 1920년 10월 중국 상해에서 창간한 한문주보이다. 영문명은 The Chindan이며 1920년 10월 10일 제1기를 시작으로 1921년 4월 24일 종간했으며 총 22기를 발행했다. 『진단』 발행 당시 중국 상해, 베이징, 창저우, 우시, 난징에 발행처를 두었으며 러시아, 프랑스, 영국, 미국, 독일 등 나라에도 연락처를 두었다. 『진단』의 발행은 중국인들의 지지와 성원을 받았으며 진보적인 중국인의 글들을 많이 실었다. 『진단』을 통해 한국독립운동에 대한 지지와 성원을 호소하고 일본의 한국 침략을 폭로 비판하였으며 다양한 국제문제 및 중국 문제를 폭넓게 다루기도 했다. 여기에 수록된 한시는 『진단』에 발표된 축사(祝詞)를 정리하여 수록한 것이다.

120 조완구(趙琬九,1881-1952) 호는 우천(藕泉)이며 한국의 독립운동가이다. 1915년 5월 대종교를 포교할 목적으로 중국 용정(龍井) 일대에 가서 수많은 동포를 상대로 약 3년간 선교활동에 종사하였다. 1919년 상하이에 가서 독립운동에 가담했으며 대한민국임시정부 내무장을 역임했다.

一片榛蕪, 中原陸梁。
奸徒背師, 凡具有性。
剝極返復, 神區失光。
時日可諼, 病去還元。
一呼自活, 豈敢曰專。
扶攜共弱, 仿佛遵鐸。
痛癢相觸, 援濟同仇。
嚶嚶其鳴, 氣同感均。
惟茲一紙, 有心于儔。
應求無間, 鬱馥燦爛。
根深無替, 基固自屹。
黃河洋洋, 白山蒼蒼。

『震壇周报』, 제1호, 1920.10.10.

震壇出版祝詞[121]-李東寧[122]

咄彼狡奴, 道亂之原。

築我長城, 戢其兇悍。

東方漸曙, 木鐸振聲。

詹詹炎炎, 鼓吹和平。

『震壇周报』, 제2호, 1920.10.17.

---

121 『진단』 제2기에는 祝詞란에 이동녕, 안찬호, 남형우의 축시가 게재되어 있다.

122 이동녕(李東寧,1869-1940) 충청남도 청원(지금의 천안시)에서 출생했으며 자는 봉소(鳳所)이고 호는 석오(石吾), 암산(巖山)이다. 1906년 중국 연변지역 용정촌에서 서전의숙을 설립하였고, 1910년에는 유하현(柳河縣) 삼원보(三源堡)에 망명하여 일부 독립지사들과 함께 경학사(耕學社)를 설립했으며 신흥무관학교 소장을 역임했다. 네 차례나 대한민국임시정부 주석이 되었으며 그 뒤 급성폐렴으로 쓰촨성(四川省) 기강(綦江)에서 사망했다.

震壇報出世頌-安昌浩[123]

帝出乎震, 大德曰仁。
嚴嚴太白, 峻極於旻。
三聖肇基, 有檀如雲。
孫枝子葉, 億萬長春。
宅於南北, 肅愼珠申。
辰國辰韓, 扶餘眞蕃。
大震殊里, 罷濟麗鮮。
一系相承, 衆派攸分。
五戒成化, 忠孝武文。
培固其本, 濬發其源。
云胡百六, 我生不辰。
蝮蛇逞毒, 大鼎遽淪。
業戟密網, 苦海無津。
天地有窮, 國魂不泯。
一旅興夏, 三戶亡秦。
乃於之一, 運智如神。

---

123 안창호(安昌浩,1878.11.9~1938.3.10)이며 평남 강서에서 출생했다. 호는 도산(島山)이다. 1919년 3·1운동 직후 중국 상해로 가서 임시정부 조직에 참가하여 내무총장·국무총리대리·노동총장 등을 역임하며 『독립신문(獨立新聞)』을 창간하였다. 1932년 윤봉길(尹奉吉)의 홍구공원(虹口公園) 폭탄사건으로 일본경찰에 체포되어, 본국으로 송환되었다. 2년 6개월을 복역한 뒤 가출옥하여 휴양 중 동우회(同友會)사건으로 재투옥되고, 1938년 병으로 보석되어 휴양 중 사망하였다.

赤血如火, 震鑠四隣。
最后一刻, 最后一人。
盟山誓海, 有如出暾。
彼蠻亦瞠, 踧踖逡巡。
愈堅愈猛, 我氣日新。
貞元之會, 勗哉國民。
震壇筆鉞, 詞嚴義眞。
皇祖佑爾, 肅清妖氛。
還我山河, 依舊樂園。

『震壇周报』, 제2호, 1920.10.17.

祝震壇-南亨佑[124]

維檀有國, 皇皇治化。
海寇狂猘, 生受十載。

---

124 남형우(南亨祐,1875~1943)은 한국 경상북도 고령에서 출생했다. 호는 수석(瘦石)이다. 1919년 3월 17일 러시아 블라디보스토크에서 수립된 대한국민의회에서 산업총장으로 선임되었다. 1919년 4월에 중국 상하이로 망명하였다. 1919년 4월 13일 대한민국임시정부 수립에 참여하고 법무차장에 선임되었다. 1928년 중국 동북지역인 하얼빈으로 가족과 함께 이주하여 헤이룽쟝(黑龍江)에서 사설 학교를 경영하였다. 1943년 3월 13일 혹독한 일제의 감시와 위협을 참을 수 없어 음독자살하였다고 한다.

半萬年玆, 禮義以之。

汚我舊物, 志士腸裂。

一聲震報, 乃誓光復。

祖烈國色, 執我左契。

萬蟄羣起, 走的其矢。

是宣是揚, 祝爾無疆。

『震壇周报』, 제2호, 1920.10.17.

震壇出世憶舊同志代祝- 一民[125]

九變新承連, 三神肇錫名。

靈光覆盆照, 肅令寰球驚。

大震今來復, 東壇舊有盟。

情同懷赤子, 恍若見明星。

『震壇周报』, 제4호,1920.10.31.

---

125 일민(一民)은 신규식을 가리킨다. 신규식(申圭植,1880~1922)는 호 예관(睨觀), 여서(余胥), 일민(一民), 청구(靑丘), 한인(恨人)이며 일제강점기 대한민국임시정부 법무총장과 외무총장 등을 역임한 독립운동가이다. 저서로는 『한국혼』과 『아목루』가 있다. 1911년 중국 상하이로 망명하여 신정(申檉)으로 개명하였다. 손문(孫文)이 이끄는 동맹회(同盟會)에 한국인으로서는 처음 가맹해 10월의 무창의거(武昌義擧)에 참가해 신해혁명에 공헌하였다. 1921년에는 잡지 『진단(震壇)』을 발행하였다.

祝震壇叢報-尹琦燮[126]

正氣震乎宇內, 報壇屹於東亞, 欽子之誠, 感君之公, 斥邪懲奸, 於斯狐魅必縮假面, 仗義扶道, 從玆生靈可臻大同, 剛而健, 毅而奮, 人必應, 神必通。

『震壇周报』, 제5호, 1920.11.7.

震壇出世誌慶-尹海葦[127]

東方將曙, 雷乃發聲。
寰宇普照, 羣蟄皆驚。
獨立平等, 博愛自由。
以此精神, 肝膽骨髓。
驅魔除暴, 振聵砭聾。
仁者無敵, 天下大同。
克勤克敬, 毋怠毋荒。

---

126 윤기섭(尹琦燮, 1887~1959)은 한국 경기도 장단 출신으로, 호는 완운(蜿雲), 이명은 윤중규(尹仲珪)이다. 보성전문학교를 졸업한 뒤 한동안 평북 정주의 오산학교(五山學校) 교사로 재직했다. 1908년 안창호(安昌浩) 등과 청년학우회를 조직해 활동하다가 중국으로 망명한 후 신흥무관학교 교사·교장으로 10여 년간 독립군 양성에 힘썼다.

127 작자 신원 미상이다.

巍乎震壇, 其壽永昌。

『震壇週報』, 제5호, 1920.11.7.

韓國國慶開天節頌辭-本社同人

元始渾沌, 神人降于。
迺君迺師, 拓闢荒無。
藝穀築屋, 爰有美服。
男女父子, 倫續有則。
萬眾稽首, 建其有極。
天開露潤, 化被草木。
半萬誌識, 堂皇文明。
仁慈勇義, 厥維國光。
聲教所既, 咸濡生成。
其惠其德, 如生如恒。
小春維三, 月正日元。
萬姓雲仍, 歌頌不諼。
洋洋雍雍, 道迓純嘏。
聖域春回, 神岳月高。
于戲之盛, 孰不景仰。
同人齊沐, 拜詠無疆。

『震壇週報』, 제6호, 1920.11.14.

震壇創刊-俄領海參崴新韓村 韓人新報社同人恭祝

皇皇檀祖, 與堯幷立。
赫赫箕聖, 教民禮樂。
不啻同種, 旣緣血族。
山高水麗, 接壤大陸。
半萬年來, 共受休戚。
陰雨綢繆, 聲氣聯絡。
震壇一言, 為天下法。
尊重平和, 討滅侵略。
噫彼島夷, 彼此共敵。
韓民羈絆, 華域蠶食。
殘賊詐譎, 世界忌嫉。
公理惟存, 強權必覆。
仗義擊楫, 彼岸可達。
偉哉震壇, 任大重責。
共濟使命, 共壽千憶。

『震壇週報』, 제6호, 1920.11.14.

恭祝震壇報永壽無疆-崔東旿[128]

仗正義人道之力, 揮剛毅公平之筆,
痛斥倭奴之侵略的野心, 鼓吹韓中之共存的主義。

『震壇週報』, 제6호, 1920.11.14.

開天節祝詞韓文漢譯[129]

大韓民國二年陰十月三日, 國務總理李東輝, 謹祝兄弟姊妹, 恭賀大祖神, 開天慶日, 吾等之性命, 基業, 能力, 不忘惟神始開, 且贊慕無等榮光, 與夫深高恩寵, 歡樂是日, 覺厥惟真, 夜黑風厲的世間, 雨雪霏飄之中, 堅執大祖神之力線, 奮鬪前進, 凡諸障礙, 克披克芟, 雖軟弱無狀, 我所守, 我所持的寶貴, 以命相償, 迄於人類滅盡之時, 歌詠倍達(檀君時國號祖光之義)靈光與和風甘露, 永矢無穹。

『震壇週報』, 제7호, 1920.11.21.

---

128 최동오(崔東旿,1892.6.22~1963.9.16)는 일제강점기 천도교인으로서 상하이 임시정부 및 만주에서 활동한 독립운동가이다. 호는 의산(義山)이며, 이명은 최학원(崔學源) 또는 최동오(崔東五)이다.

129 한글로 씌어진 이동휘의 축사를 중국어로도 번역해서 같이 실었다.

祝震壇(韓文漢譯)[130]-金科奉[131]

仗弘益人間太白力, 任他九變之是否。
担重大責任爾興起, 覓達偉大之目的。

『震壇週報』, 제13호, 1921.1.1.

祝震壇-白醉狂夫[132]

震壇高築五洋洲, 鑑語東西若決流。
長夜乾坤新日月, 亂臣世界又春秋。
雷聲所過誰無耳, 劍氣何多敵有頭。
帝出舊墟經渤海, 生靈今古仰青邱。

『震壇週報』, 제18호, 1921.2.27.

---

130 김두봉의 축시 「진단을 빌다」는 한글로 씌어져 있으며 중국어로 번역한 시를 같이 실었다.

131 김두봉(金科奉,1889~1960)은 한국의 독립운동가, 한글학자이다. 광문회(光文會)에서 조선어 사전 편찬 사업에 참여하는 등 한글연구에 기여하였고, 3·1 운동과 민족 혁명당, 조선독립동맹결성 등 독립운동에도 적극적으로 참여하였다.

132 백취광부(白醉狂夫)는 독립운동가 현천묵의 호이다.

接白醉老哥『祝震壇』詩有感-藕天[133]

[小引]白醉老哥, 益壯其氣, 賢勞於軍政署, 多所擘畫, 溯往年和龍青山之間, 日夕談討。言議風生。雖處隘窮, 不餒不兀, 心恒慕之。老哥頎身銀鬚, 望若渾然, 苦志一誠, 終始不渝.念老哥不以老自餒, 追隨戎馬, 以酬素志.奈此年壯, 投在滬濱, 手弄文墨, 志事未就, 空嘆時逝, 愧無自定。今又接老哥毫端發英, 不覺起懶, 聊誌數墨, 以表遠仰。顧吟非素技, 韻澀意鈍, 因欲介紹, 不暇藏拙。老哥姓玄, 天黙其名, 爲軍署副總裁, 白醉其字, 今年六十歲也。

白醉元來非白醉, 英風颯爽撼人前。
掀翻皓鬚更如見, 舊進不會讓少年。
素志一酬風格格, 運籌戎馬正無休。
欣看子弟能繩武, 滿地黃花明月秋。
遠寄一詩誌意壯, 逢蓬勃勃躍毫端。
八千里外歡無已, 漫作數言代報安。

『震壇週報』, 제18호, 1921.2.27.

133 우천(藕泉)은 한국의 독립운동자 조완구(趙琬九,1881-1954) 호이다.

哀梅四首-界民吳覺[134]

其一

憶昔東征日, 中懷萬里情。
烈風摧短鬢, 胡笳多慘聲。
有客忽然至, 聊吟洽素誠。
論文卑漢魏, 扑浪話潮生。
訂交忘色相, 風義解宵征。
示卷明肝膈, 死生猿鶴盟。

其二

中原風雨多, 城狐蒼狗變。
願結素心人, 同化穿楊箭。
屈指計眞才, 感慨梧桐院。
之子倍辛勤, 講學聚羣彦。
儒文與俠武, 歲寒節乃見。
別我顧鞍詩, 氣壓蓬萊殿。

---

134 계민오각(界民吳覺): 이 시에 나오는 주인공 매원은 성이 역(易)씨이고 본명은 상(象)이며 중국 호남성 장사 사람이다. 신해혁명에 참가한 민주혁명가로서 1920년 11월 25일 새벽에 지방 반동군벌의 습격을 받아 피살당했다. 피살되기 전에 그의 친밀한 전우였던 조선인 계민오각 즉 이 한시의 저자가 그 유서를 읽고 그를 애도하는 시를 지어 해내외의 유지인사들에게 널리 알리였다. 원래 8수였는데 지금까지 전해온 것은 4수뿐이다.

其三

箕子善爲奴, 檀君在何處。
亞雨寒復寒, 男兒明互助。
決氣傾人命, 慷慨同袍賦。
之子中原來, 停鞭證芳素。
風雲乍離合, 我復長征去。
別咏步文山, 從容兩知遇。

其四

形勞如馬足, 四海可爲家。
展轉江南地, 采襭盈寒葩。
之子縱橫氣, 仗劍入長沙。
林高惹風妬, 奚論鸞與鴉。
去去五羊城, 相逢棠棣花。
神廢互神立, 歡遽歎光華。

『震壇週報』, 제22호, 1921.4.24.

『천고(天鼓)』[135] 편

天鼓新年新刊祝[136]-本社員一同

祝一

揮新筆 灑新墨 開新硯 天鼓之刊 當新年

祝二

天造朝鮮 天護朝鮮 寇朝鮮者誰 天之賊 賊不滅 天不昌 鼓我天鼓 行天討

祝三

一鼓聲如雷 再鼓氣如山 三鼓四鼓 義士集如雲 五鼓大鼓 賊首紛紛如葉落 掃腥羶 返國光 重整我山河 天鼓之職於斯畢

『天鼓』, 제1호, 1921.1

---

135 『天鼓』는 단재 신채호가 1921년 베이징에서 발행한 한문(漢文)체 잡지로 주요내용은 韓族과 漢族의 단결을 선양하는 내용이 많이 나타나고 있고 또한 이 잡지에 중국인들도 기고를 했다. 제1권부터 7권까지 발행했다고 하나 여기에서는 1권과 2권에서 『天鼓』의 발행을 축하한 축시를 모아 정리한 것이다. 작자가 중국인임이 분명한 축시는 제외했으며 내용상 한국인임이 명확한 것을 수록하였으며 신원이 명확한 저자는 각주로 처리했다.

136 本社員一同이라고 밝히고 있지만 신채호의 작품이라고 판정하고 있다.

天鼓頌-瘦可[137]

吾知鼓天鼓者, 其能哀而怒矣。哀聲悲怒聲壯, 喚二千萬人起。

乃毅然決死心, 光祖宗復疆土。取盡夷島血來, 其釁於我天鼓。

『天鼓』, 제1호, 1921.1.

鼓祝天-心山[138]

天鼓乎惡乎鳴, 鳴惡乎晩。

聲惡乎不平歟, 無乃待時而鳴。

大放厥聲, 以之廣吾韓於天下。

而聞萬世之太不歟, 壯絕哉快絕哉。

吾幸於吾身而親見之, 何傷乎之鳴之聲之晩與不平歟。

『天鼓』, 제1호, 1921.1.

---

137 瘦可라고 밝히고 있는데 이것은 단재 신채호의 필명이다.

138 心山: 독립운동가 김창숙(金昌淑)의 호이다.

祝天鼓-究極

烏雲一片, 瀰漫東亞。哀斯人民, 不思奮發。
暮鼓晨鐘, 意取振發。嗚鼓而攻, 意卽聲討。
天鼓天鼓, 廣殖根芽。企足仰瞻, 深致迎迓。

『天鼓』, 제1호, 1921.1.

祝天鼓 -霽雲

天鼓一聲動半島, 八方雲霧一時開。
賊首溪落姖秋葉, 快見春陽剝上回。

『天鼓』, 제1호, 1921.1.

祝天鼓-鳳陽由人

天鼓出世聲振亞東, 喚聲國民責任無窮。

『天鼓』, 제1호, 1921.1.

祝天鼓-聾夫[139]

天鼓一聲, 萬人仰天。
一鼓再鼓, 動天動地。
靜靜音波, 警警四海。
聾於十霜, 偶逢□鵲。
孰濟孰否, 先濟檀孫。
高掛余鼓, 廣濟全球。
天鼓天鼓, 傳之無窮。

『天鼓』, 제1호, 1921.1.

---

139 聾夫로 밝히고 있는데 『時代日報』 1924년 4월 1일 8면 1단에 聾夫 金廣植氏 筆이라는 서명하에 그림 한 폭이 그려져 있는 것으로 보아 당시 화가인 듯하다.

祝天鼓-浮萍草

国亡今已十闞年, 苦待天明天不明。
明天將待天鼓鳴, 二千萬人開愁眉。
天鼓已光東大陸, 只願發展全世界。

『天鼓』, 제1호, 1921.1.

祝天鼓-愚夫

天鼓出兮, 聲震四海。
人皆聽兮, 起而仰之。

『天鼓』, 제1호, 1921.1.

祝天鼓-林之山

風雨凄凄滿四方, 十年不開鷄鳴聲。
鷄鳴一聲動天地, 瞬息新光不期來。

『天鼓』, 제1호, 1921.1

祝天鼓-秋岡

天鼓鳴天鼓鳴, 年新世新人道新。
新教化新功德, 萬年悠悠萬年新。

『天鼓』, 제1호, 1921.1.

祝天鼓-白醉[140]

一聲雷鼓落吾天, 攻振鳴醒俱自然。
掛於槿域三千里, 來也檀陰半萬年。
殺秋草木風霜起, 病夏江山兩露傳。
造化靴端無不服, 始知霹靂在朝鮮。

『天鼓』, 제2호, 1921.2

---

140 白醉의 본명은 玄天默(1862-1928)이며 호가 백취白醉)이다. 1920년대 초 함경북도 경성군출신이며 북로군정서 부총재, 간북북부총판부 부총판으로 활약했다. 그리고 신규식이 상해에서 꾸린『震壇週報』(제18기, 1921.2.27.)에도 白醉狂夫의 이름으로「祝震壇」이라는 축시를 발표했다.

祝天鼓-霽海

天爲至公也, 鼓其放聲哉。

『天鼓』, 제2호, 1921.2.

祝天鼓-浣史

鼓響噹喨见海震, 濁亂斯世獨春秋。
願同天上一輪月, 萬古光明永不休。

『天鼓』, 제2호, 1921.2.

祝天鼓-克和

天地混元正大氣, 鐘爲天鼓聲。
筆削誅討任其職, 招起倍達精。
禱爾功於時兩若, 協和於萬方。
祈爾壽於南山如, 籌之以永昌。

『天鼓』, 제2호, 1921.2.

祝天鼓-春臺

天鼓者所以聲賊之罪也, 聲其罪以舌可也以筆可也。
然討賊者聲罪而止可乎? 必也斬之可也, 擊之可也。
故吾願繼天鼓而作者爲天戈天鈒。

『天鼓』, 제2호, 1921.2.

祝天鼓-念堂

創建國基有檀君天符, 防護國土有朱蒙天甲。
發揮國光有眞興天帶, 聲討國賊今日有天鼓。
國賊不討, 國基不可保, 國土不可復。
而國光將闇滅, 而不可復, 發天鼓其勉乎哉。

『天鼓』, 제2호, 1921.2.

祝天鼓-石竹

有天鼓焉有地鼓焉有人鼓焉。何謂天鼓雷是也。

何謂地鼓風是也, 何謂人鼓義聲是也。

今「天鼓」義聲也, 義聲人鼓也, 而日天鼓義聲若雷也。

『天鼓』, 제2호, 1921.2.

『한국청년(韓國青年)』[141] 편

鴨綠江--白癡

鴨綠江!
三千里美麗的江山
負在你的背棄,
三千萬熱血的同胞
擔在你的雙肩
三千年悲慘的故事,
演在你的眼前
鴨綠江!
你會吞沒過矮奴屠刀下的鮮血,
--窟死不辱英雄們的屍首:
你會西渡了無數不做奴隸的人群
--流亡漂泊在異鄉的青年;
你會扶植過新時代革命的幼苗,
--中年苦鬥在黑暗裡的幾女。

『韓國青年』, 제1권 제1기, 1940.7.15.

---

141 1940년에 중국 시안(西安)에서 발행한 정치간행물이며 구체적인 발행시간과 종간 시간 미상이다. 주요하게는 중한 혁명역사와 혁명지사들의 인물전기, 국제정치경제, 그리고 문학작품 등 내용을 실었다. 여기에 실은 시작품의 저자 白癡과 憶白는 신원이 미상이다.

夜別重慶--憶白

西居一年了
流動生活着,
每天, 得躲幾次山洞.
全身的脈絡的感覺;
深入被轟炸犧牲的血泊中,
還能忍受鐵烏, 飛來頭上放肆?
這天
血液從朝奔流到夜,
夜霧中, 倉忙登上征輪。

(晚上十點鐘, 個人將行李搬上輪船, 大家確實有些兒疲乏了。船艙內的各種聲調, 也都漸漸消沉下去, 可是, 我們的一點抑制不了的心情, 卻微波似的向上沖, 只得離了睡位, 步出艙外, 一支小劃出現於眼旁, 他們唱著熱情的小歌, 原來正是許錫山送他的愛人回岸去, 身上有的是鋼筆和日記本, 便就輪燈下寫了這首詩。)

『韩国青年』, 제3기, 1941.6.10.

『혁명공론(革命公论)』[142] 편

西京古蹟詩平壤-朴彌[143]

檀下神人始此都, 至今遺廟古城隅。
不知當日阿斯達, 亦有攀髯墮者無。
太師杖軼筆猶存, 舊事鴻濛未足言。
惟有青山三尺墓, 東人須與孔林論。
周家井制出鄒賢, 憲是其詳不得傳。
試問倉毬門外望, 平郊十里是商田。
丹絡元非赤土宜, 清泉何乃涌中達。
鹿盧汲取瓊漿飲, 千載令人說太師。
高句驪起漢鴻嘉, 宮殿遺墟草樹遮。
怊悵乙支文德死, 國亡非為復庭花。
朝天片石出江濤, 麟窟苔封草樹深。
怊悵天孫何處去, 野棠花發古祠陰。

142 『혁명공론(革命公论)』은 1934년 한국인이 중국 난징에서 발행한 독립운동지로서 발행주기나 종간년대가 미상이다. 잡지 주요내용들로는 정론, 국제대사, 한국역사, 항일인물전기 등이 있다. 여기에 실려 있는 한시는 『혁명공론(革命公论)』1935년 제6기에 게재된 한시이다.

143 朴彌, 저자 신원 미상.

韓國殉先烈遺詩

金道賢[144]先生殉國遺詩

我生五百末, 赤血滿空腸。
中間十九歲, 鬚髮老秋霜。
國亡淚未已, 親沒心空傷。
萬里欲觀海, 七日當復陽。
獨立故山碧, 百計無一方。
白白千丈水, 足吾一身藏。

(金道賢先生字明玉慶尚道英陽人, 慷慨有義氣, 當與同志為國舉義。以母在而不敢死, 庚戌國亡又欲死。其母曰我在忍見乎, 遂不得已而隱忍。至甲寅十月母喪, 乃走甯海觀於壹投海而殉國是之七日冬至也。年六十三, 囑其子毋敢死, 詩為絕命词。)

144 김도현(金道鉉,1852-1914)은 경남 영양 사람으로 의병활동에서 동지들과 같이 죽음을 선택하려 했으나 모친에 대한 효도 때문에 그만 두었다. 1910년 나라가 망하자 또 한번의 죽음을 선택하려 했지만 모친에 대한 효도로 미루다가 1914년 10월 노모가 세상을 떠나자 그해 동지날에 바다에 투신하여 생을 마감했다. 그때 나이로 63세이다. 이 한시는 바로 김도현의 절명시이다.

黃玹[145]先生殉國四首

亂離滾到白頭年, 幾合捐生欲不然。
今日眞成無可奈, 輝輝風燭照皇天。

楚氣掩翳帝星移, 九闕沉沉書漏遲。
詔勅從今無復有, 琳瑯一紙淚千絲。

鳥獸哀鳴海岳嚬, 槿花世界已沈淪。
秋燈掩卷懷千古, 難作人間識字人。

曾無支廈半椽功, 只是成仁不是忠。
止竟僅能追尹殺, 當年愧未躡陳東。

(黃玹先生字雲卿全羅道求禮人。文章氣節, 冠士林, 有梅泉集行於世, 梅泉其號也。有絕命詞四首, 授其門人後飮藥而棄。)

---

145 황현(黃玹, 1855~1910) 자는 운경(雲卿), 호는 매천(梅泉)이며 시인이며 애국지사이다. 1885년 생원시에 장원한 후 유명한 문인들인 이건창(李建昌), 강위(姜瑋), 정만조(鄭萬朝), 김택영(金澤榮) 등과 친교가 있었다. 을사 보호 조약이 체결되자 비분하여 김택영과 함께 중국에 망명하려 했으나 여비가 없어 뜻을 못 이루었다. 그 뒤 1910년 8월 한일합방으로 나라가 망하자 유시4수를 남기고 음독 순절했다. 이듬해에 유시집 <梅泉集(매천집)> 3권이 김택영과 영남, 호남 선비들의 성금으로 출간되었고, 그가 엮은 <梅泉野錄(매천 야록)>은 한국 근대사 연구에 중요한 문헌으로 되었다.

엮은이 소개

장영미(张英美)

중국 연변대학교 조선어학과 교수, 중국한국(조선)어교육연구학회 상무이사를 역임하고 있다. 주요 관심분야는 중국에서의 한국어교육 연구와 한국 근현대문학과 중국 관련 연구이고 저서로는『해방 전 재중조선인 시문학의 디아스포라 성향연구』(2012),『문학사의 명명과 문학사관의 성찰』(역저, 2019) 등의 연구서가 있다. 논문으로는「해방 전 재중조선인 시문학에 나타난 북쪽 이미지 연구」등 20여 편이 있다.

박설매(朴雪梅)

중국 연변대학교 조선언어문학학과 부교수, 2013년 동 대학에서 문학박사 학위를 취득한 뒤 한국 고전문학, 중한근대문학의 교류 등 방면의 연구를 진행하고 있다. 주요 학술논문으로는『유득공문학의 문화비판』(2013),「해동사가의 중국체험과 타자인식」(2018),「강위의 중국인식과 미래상상」(2018),「윤봉길사건의 중국서사」(2020) 등이 있다.

'한국근대문학과 중국' 자료총서 ❼
시 Ⅲ

초판 1쇄 인쇄 2021년 9월 17일
초판 1쇄 발행 2021년 9월 27일

지은이 이상용 외
엮은이 장영미 · 박설매
기 획 『'한국근대문학과 중국' 자료총서』 편찬위원회
펴낸이 이대현
편 집 이태곤 문선희 권분옥 임애정 강윤경
디자인 안혜진 최선주 이경진
마케팅 박태훈 안현진
펴낸곳 도서출판 역락
주 소 서울시 서초구 동광로 46길 6-6 문창빌딩 2층
전 화 02-3409-2060(편집), 2058(마케팅)
팩 스 02-3409-2059
등 록 1999년 4월 19일 제303-2002-000014호
전자우편 youkrack@hanmail.net
홈페이지 www.youkrackbooks.com
字 數 129,945字

ISBN 979-11-6742-022-0 04810
979-11-6742-015-2 04810(전16권)